LA LÉGENDE DE ROBIN

L'auteur

Elena Kedros est une auteur italienne. Bien qu'elle ne soit pas une déesse et n'ait jamais tiré à l'arc, elle a visité aussi bien la forêt de Sherwood que l'Olympe. Après *Les filles de l'Olympe* et *Les héritières de l'Olympe*, *La légende de Robin* est sa nouvelle série.

Du même auteur

Les filles de l'Olympe (tomes 1 à 6)
Les héritières de l'Olympe (tomes 1 à 3)

Elena Kedros

LA LÉGENDE DE ROBIN

Illustrations de
Sara Iayafly Spano

Traduit de l'italien
par Nathalie Nédélec-Courtès

POCKET JEUNESSE
PKJ·

Titre original :
La Leggenda di Robin

Loi n° 49956 du 16 juillet 1949 sur les publications destinées à la jeunesse : septembre 2015.

ISBN : 978-2-266-25356-7

Le grand jour

— Demain, c'est le grand jour, lui murmura son père.

Euphorique, Robin n'avait qu'une hâte : se précipiter au-dehors. Mais c'était la nuit. Il fallait encore attendre.

Assis près du foyer qui illuminait la pièce, sa mère et son frère adoptif, Philip, la regardaient avec fierté. Même Lupus, la souris qui vivait dans le toit de chaume, observait la scène.

— Pour venir avec nous, tu devras être préparée, continua son père – et bien équipée.

Robin fixa le ballot volumineux posé contre la porte. Elle imaginait ce qu'il pouvait contenir, sans oser y croire. Ce serait vraiment trop beau ! C'était son plus grand désir depuis qu'elle avait appris à marcher. Son père souleva le sac de toile et le lui tendit. Elle reconnut l'objet au toucher.

— Au moins, qu'une partie de ton cerveau se souvienne que tu es une fille, fit la douce voix de sa mère.

Mais la voix lui parut lointaine. Dans cette pièce, à cet instant, il n'y avait qu'elle, le sac et tous ses rêves.

Robin ouvrit le ballot et le vit : encore plus beau que tout ce qu'elle avait imaginé.

— Un longbow[1] ! En bois d'if ! s'écria-t-elle.

Cet arc était aussi beau que ceux de Papa et de Philip. Peut-être même plus.

— Tu verras comme il est précis ! dit son père.

— Et puissant ! ajouta Philip. On l'a fabriqué sur mesure pour toi !

Elle fit glisser sa main sur le dos de l'arme. Les embouts avaient des renforts de corne. La corde était faite de trois fils de chanvre imprégnés de colle et renforcés par des cheveux de femme. Superbes, blonds et épais.

— Ce sont les tiens ? demanda-t-elle à sa mère.

Celle-ci acquiesça et, en souriant, sortit un paquet d'entre les plis de sa jupe.

— Ceci, en revanche, est tien ! répliqua-t-elle en le lui tendant.

— Un autre présent ? fit Robin.

Elle retint son souffle et l'ouvrit : il contenait quatre flèches et autant de chandelles. Son cœur bondit de joie. Bien que sa mère n'apprécie pas outre mesure son goût pour les arcs, les frondes et les aventures, elle ne

1. Le longbow, appelé également arc long anglais, est un arc très puissant d'environ 2 mètres de long, utilisé au Moyen Âge pour la chasse et pour la guerre.

L'arc

Le longbow,
ou arc long anglais,
se taille dans une seule
pièce de bois. Il ne doit pas
vibrer quand l'archer tend
la corde pour tirer. Sinon,
la puissance qui doit en émaner au
lancer se disperse dans la structure
de bois, et la flèche est moins rapide.

Les pointes des flèches

s'y était cependant jamais opposée. En lui offrant des flèches et des cierges, elle lui fournissait les instruments pour apprendre le tir le plus extraordinaire de son père.

— Crois-tu que je sois déjà prête pour le coup de la mèche ? lui demanda-t-elle.

— Tu es prête pour commencer l'entraînement. Tu allumeras une chandelle à chaque nouvelle lune, et avant que la quatrième n'ait fondu, tu le réussiras. Mon sang coule dans tes veines.

Sans lâcher son arc, Robin étreignit son père qui sentait bon la forêt et sa mère qui embaumait le pain et la farine. Elle voulut de même étreindre son frère, qui l'arrêta d'un geste.

— Un instant ! Moi aussi j'ai un présent pour ta première sortie ! s'exclama-t-il.

Il ôta de son cou le médaillon en forme de croix qu'il avait trouvé dans la forêt quelque temps auparavant. Il l'avait enfilé sur un cordon de cuir et ne l'avait plus enlevé. Récemment, quelqu'un lui en avait offert une bourse pleine de shillings, mais il ne l'avait pas vendu.

Robin se raidit et recula d'un pas.

— Non… il te plaît tant… je ne…

Ignorant ses protestations, Philip l'attrapa par la taille et lui passa le médaillon autour du cou.

— Ne t'inquiète pas, ce n'est pas gratuit ! En échange, tu iras tirer de l'eau au puits les dix prochaines années.

Robin s'esclaffa. Aller au puits faisait déjà partie de ses tâches quotidiennes. Elle contempla avec tendresse les yeux limpides et heureux de son frère adoptif. Il était plus âgé qu'elle, mais il avait conservé l'expression joyeuse et curieuse d'un enfant. Du frêne sous lequel on l'avait trouvé, encore dans ses langes, il semblait avoir hérité la vivacité et l'élégance.

— Merci. C'est la plus belle soirée de ma vie et demain sera la plus belle journée ! se réjouit-elle.

— Et aussi la plus fatigante, tu verras ! Allez, tout le monde au lit à présent : nous partirons avant l'aube.

Sur sa paillasse installée sur une planche de bois, Robin écoutait la respiration régulière de ses parents et le ronflement tonitruant de Philip. Toutefois, ce concert à déchirer les tympans n'était pas la cause de son insomnie. Elle était simplement trop heureuse pour dormir. Elle sentait le médaillon sur sa poitrine et serrait l'arc dans sa main. Elle avait hâte de l'essayer. Hâte que la nuit se termine. Hâte de s'enfoncer dans la forêt. Jusqu'à ce jour, elle avait eu la permission de s'éloigner de Wellfield, son village, de cent pas dans chaque direction. Il en fallait cent un pour pénétrer dans la forêt. Les hommes qui s'y réfugiaient étaient dangereux : des bandits et des voleurs, des brigands et des hors-la-loi. Des gens prêts à tuer pour dérober la moindre chose. Mais son père et Philip savaient comment se comporter. En leur compagnie, elle serait en sécurité. Elle se sentait prête pour cette sortie. Elle l'avait méritée en démontrant son savoir-faire dans le maniement de la fronde et du couteau. Philip lui avait toujours permis de s'entraîner avec son arc, et elle savait s'en servir. Elle n'était pas aussi douée que lui, moins encore que son père, mais avec ce splendide longbow qu'elle ne lâchait pas, elle deviendrait aussi habile qu'eux. Et elle connaîtrait les secrets et les merveilles de la forêt. Qu'aurait-elle pu désirer de plus ? Lupus la rejoignit et se blottit contre son ventre comme chaque nuit. Elle réussit à fermer les yeux et rêva de mille flèches à encocher et de mille cibles où viser, de fleuves passés à gué et d'arbres à escalader, elle rêva qu'elle était heureuse, toujours, comme ce soir-là.

Son rêve se remplit d'une odeur âcre. Un cri retentit, puis un deuxième. Parmi les hurlements, Robin reconnut la voix de sa mère. Elle se rendit compte que les cris n'étaient pas dans son rêve et battit des paupières. Le toit de chaume était en flammes.

Avant de comprendre ce qui se passait, elle sentit les mains fortes de son père la soulever de sa couche et la pousser vers la fenêtre qui donnait sur l'arrière.

— Cours au puits, entres-y et n'en bouge pas jusqu'à ce que je t'appelle ! lui ordonna-t-il. Si tu n'obéis pas, tu ne seras plus ma fille.

Un froid glacial envahit Robin. Hébétée, elle ouvrit les volets de bois. À l'extérieur, l'air était saturé de fumée, illuminé par la lumière surnaturelle des flammes. Robin escalada la fenêtre et, d'un bond, se retrouva dehors. Elle entendait les cris des villageois et ceux de sa mère, le crépitement du chaume embrasé et quelque chose d'autre… des hennissements… des piaffements…

Elle courut vers le puits, à travers les nappes de fumée qui ondulaient comme des vagues, et se rendit bientôt compte qu'aucun des siens ne la suivait. Sans ralentir, elle fit volte-face. Le toit de sa maison ne pouvait désormais se distinguer de ceux des autres masures. On aurait dit une unique mer de flammes. Pourquoi personne ne courait-il au puits ?

Elle s'arrêta. Une flèche incendiaire fendit l'air et tomba au-delà de la maison du meunier. Il ne s'agissait pas d'un accident. Le village était attaqué. Elle fit instinctivement demi-tour et se précipita vers sa maison. Ses yeux brûlaient.

« Cours au puits… Si tu n'obéis pas, tu ne seras plus ma fille. » La voix de son père résonna dans sa tête. Il n'avait toujours eu qu'une parole, mais Robin passa outre. Elle voulait savoir, comprendre, aider.

Dans l'espace étroit qui séparait sa maison de celle du meunier, la silhouette imposante de son père apparut à travers la fumée. Il courait, désarmé, le visage contracté par une expression de terreur que Robin ne lui connaissait pas.

Dès qu'il la vit, il lui ordonna, d'un geste brusque de la main, de se réfugier dans le puits et s'écarta vivement vers la droite. Robin obéit. Elle rebroussa chemin à reculons.

Un cavalier effrayant émergea de la fumée. Il portait heaume, cotte de mailles, gantelets, jambières, cuissards, genouillères et solerets. Il montait un énorme étalon bai à la queue et à la crinière noires, avec un dragon rouge dessiné sur son caparaçon vert. Il se dirigea au pas vers son père en fuite.

Le sang de Robin se figea dans ses veines. Elle eut l'impression que le temps ralentissait. Elle se cogna contre le puits. Son splendide arc neuf était resté sur sa paillasse. Si seulement elle avait eu le réflexe de s'en saisir… Au lieu de cela, elle n'avait rien. Par terre, elle ne voyait pas non plus le moindre petit caillou. Elle se sentit faible et inutile.

Le cavalier encocha une flèche, tendit la corde avec deux doigts, visa et resta immobile à étudier la course de sa proie.

Le bruit de la corde qui vibre et le sifflement de la flèche remplirent l'air, et un instant plus tard, Robin vit son père tomber à terre, touché en plein dos.

Le temps suspendit son cours.

Le serment

À l'intérieur du puits, quelques pierres s'étaient écroulées, formant une niche. Il faisait froid dans cette sombre cavité. L'humidité était insupportable. La réverbération des flammes se distinguait à peine par l'ouverture. Robin ne se rappelait pas comment elle s'était retrouvée là. Elle revoyait sans cesse l'image de son père mortellement frappé, le cavalier qui s'approchait de lui en dégainant son épée, les autres hommes d'armes qui émergeaient du rideau de fumée.

Elle espérait que sa mère et son frère avaient réussi à fuir. En même temps, elle essayait de garder à l'esprit l'apparence du chevalier. La façon dont il montait l'énorme étalon bai, le buste en avant, son carquois de cuir, son heaume court. Elle ne voulait pas l'oublier. Rouge était le dragon sur le caparaçon vert du destrier, rouge l'empennage de la flèche qui avait frappé son père. Son père. Son père qui s'effondrait. Robin n'arrivait pas à y croire. Cela ne pouvait pas être vrai. Cela ne devait pas l'être.

De l'extérieur lui parvinrent des voix et des martèlements de sabots. Elle tendit l'oreille et devina qu'un groupe de cavaliers approchait. Elle se raidit, essaya de respirer doucement et de réprimer ses tremblements.

Les piaffements, plus forts, l'avertirent que les assaillants étaient tout proches.

Un instant après, le seau du puits se mit à descendre en grinçant.

— Soyez maudits ! entendit-elle crier.

La voix de Philip. Robin ferma les yeux en priant pour qu'elle soit bien réelle. Des bruits de chaînes et de sabots. Des chevaux qui hennissent et s'ébrouent. Des coups.

— Vous ne pouv… cria de nouveau Philip qui fut interrompu par un coup violent.

— Surveille le captif, ordonna une voix grave et cruelle.

Intuitivement, Robin eut la certitude qu'elle appartenait au Chevalier du Dragon. L'assassin de son père.

— Ne recommence pas, Philip, retentit la voix.

Un autre coup, un cri étouffé.

Robin fut tentée de sortir de sa cachette, mais qu'aurait-elle pu faire face à un groupe de chevaliers en armes ?

Encore un coup.

— Ça suffit ! Elle le veut vivant ! retentit de nouveau la voix profonde et glaciale.

Les chevaliers

Pour devenir chevalier, il fallait apprendre l'équitation et le maniement des armes dès son plus jeune âge. Une fois obtenu le titre d'écuyer, on accompagnait le seigneur aux tournois et à la bataille, prenant soin de ses armes et de ses montures. Après des années à son service, on était armé chevalier lors d'une cérémonie d'investiture : on recevait épée et ceinture, mais également la « colée », c'est-à-dire une claque sur la joue ou un coup sur la nuque du plat de l'épée.

Quelle qu'en soit la cause, l'espoir persistait pour son frère.

Le seau plein d'eau fut remonté à l'air libre.

Les premières lueurs de l'aube s'insinuèrent dans le froid du puits. On n'entendait plus aucune voix, plus aucun bruit. Robin supposa qu'elle avait dû s'assoupir. Elle était restée recroquevillée dans la même position durant un bon bout de temps et elle avait mal partout. Elle attendit encore un peu dans le silence. Il n'y avait plus personne. Cependant, elle n'arrivait pas à bouger. L'idée de se retrouver dehors la terrorisait. Plus que de tomber sur les chevaliers, ce qu'elle redoutait pardessus tout, c'était de découvrir le corps de son père. Car alors, il n'y aurait plus l'espoir qu'il se soit relevé et qu'il ait réussi à s'enfuir, que cette nuit n'ait été qu'un horrible cauchemar.

Robin rassembla tout son courage. Elle étira ses muscles endoloris, rampa vers le bord de la niche et posa ses pieds sur la pierre en saillie. Alors qu'elle se hissait hors du puits, une odeur de brûlé assaillit ses narines. Elle entrouvrit les yeux et les tint fixés sur les points d'appui auxquels elle devait se cramponner.

Ce fut seulement quand elle sentit la terre ferme sous ses pieds nus qu'elle releva la tête et ouvrit grand les yeux.

Elle n'avait pas rêvé.

Son père gisait à l'endroit même où elle l'avait vu s'effondrer, une flèche dans le dos et transpercé d'un coup d'épée. Robin chancela. Il lui sembla que le monde s'écroulait. Elle dut s'arrêter.

Sa maison n'était plus là, il n'y avait plus aucune habitation, Wellfield n'existait plus. De son village, seuls subsistaient des décombres calcinés et des foyers où se consumaient les ultimes vestiges.

L'espace où se dressaient les demeures de bois et de chaume s'était transformé en un cimetière à ciel ouvert, entouré de tas de cendres et de ruines. Personne n'avait survécu. Contre tout espoir, Robin voulut se persuader que la silhouette à terre n'était pas son père. C'est seulement ainsi qu'elle parvint à s'avancer vers le cadavre. Mais à chaque pas, l'impitoyable vérité devenait plus évidente.

— Non ! hurla-t-elle en arrivant près de lui.

Elle refusait de croire que c'était son père, cela ne pouvait pas être vrai. Pourtant, c'était bien lui.

Robin découvrit aussi sa mère, brûlée, trois flèches à l'empennage rouge dans la poitrine. Ses magnifiques cheveux blonds avaient été dévorés par les flammes. Une douleur insupportable lui étreignit le cœur, une mer de larmes lui brouilla la vue. Robin les refoula, comme si les laisser jaillir signifiait que l'horreur autour d'elle était réelle.

— Maman… appela-t-elle en la caressant.

Elle sentit monter la nausée. S'enfonça davantage dans un monde absurde hors du temps et de l'espace. Philip et elle étaient les uniques survivants. Et qui sait où il se trouvait.

Elle avait l'impression de vivre la vie d'une autre. Cela ne pouvait être la sienne. Dans un état second, elle s'approcha de ses parents et les regarda longuement. Le soleil était haut dans le ciel lorsqu'une bande de vagabonds arriva sur les lieux. Ils l'aidèrent à creuser une fosse pour ensevelir ses parents et les autres habitants du village. Robin laissa glisser dans le trou Alphonse et Richard, les fils de Peter, ses deux amis. Puis Peter. Jack. Liz. Bess. John Grande Bouche. La veuve Phyllis. Jack Trois Doigts…

Elle n'éprouvait plus ni peur ni douleur. Elle ne ressentait plus rien.

Les vagabonds s'en allèrent à la tombée du jour sans lui proposer de se joindre à eux. Une femme lui laissa une paire de bottes de feutre usées.

Robin resta là, hébétée, dans la puanteur de bois et de chaume calcinés et de mort. Sa maison avait été brûlée. Ses parents massacrés. Philip enlevé. Elle ne savait que faire, ignorait ce qu'elle ressentait. À bout de forces, elle s'étendit près de la tombe de ses parents. Lupus, qui s'était sauvée on ne sait comment, surgit à l'improviste et se blottit contre elle. Alors, Robin s'endormit.

Une autre aube triste et sans couleur se levait au moment où Robin s'éveilla. Se rendant compte qu'elle avait pleuré dans son sommeil, elle essuya les larmes qui coulaient sur ses joues. Lupus avait disparu. Robin frissonna. Elle s'appuya sur ses bras, éprouvant ses muscles endoloris. Une douleur aiguë lui transperçait le cœur. Elle devait partir. Mais pour aller où ? Et puis, elle ne voulait pas laisser ses parents. C'est en étreignant le monticule de terre sous lequel ils reposaient qu'elle prit la pleine mesure de la tragédie. Sa famille n'était plus. Elle pleura. Toute la journée et la nuit suivante.

Une nouvelle aube indifférente illumina les décombres du village et la tombe de ses parents. « Ce n'est pas juste », pensa Robin. Elle sentit venir les larmes. De son cœur meurtri déferla une colère terrible. « Je n'ai pas réussi à vous aider, ni à vous protéger, ni à vous sauver. Mais je vous le jure, je trouverai Philip et le Chevalier du Dragon. Même si je dois y consacrer ma vie entière, je les trouverai. Je tuerai le chevalier et vous reposerez en paix. »

Pour cela, elle devait d'abord survivre.

Il pleuvait à verse. Robin avançait le long de la Grande Route du Nord en direction de Pontefract, luttant contre la faim et la fatigue. Elle n'avait rien mangé depuis le soir de l'attaque et avait de plus en plus froid. De temps à autre, elle observait la forêt qui s'élevait derrière les bruyères, ressassant les terribles événements qui étaient survenus. Plus elle y pensait, moins elle y trouvait de sens. Pourquoi des chevaliers s'étaient-ils intéressés à un petit village où une poignée de paysans vivotaient sans ennuyer personne ? Pourquoi l'attaquer de la sorte ? Les villageois n'avaient pas pu acquitter les taxes supplémentaires imposées par Talbot, mais quel avantage aurait tiré le baron à les faire tous massacrer ? Il n'aurait jamais rien perçu en agissant de la sorte. Et puis, pourquoi emmener Philip ? Qui était cette femme qui le voulait vivant ?

Robin avait beau ruminer, aucune réponse ne lui venait à l'esprit. Une désagréable sensation de vertige l'obligea à s'arrêter. Elle respira à fond. Le vertige persistait. Elle fut contrainte de s'asseoir. Ce faisant, le médaillon heurta son genou. Même si Philip le lui avait offert seulement trois soirs auparavant, il semblait appartenir à un passé très lointain. C'était la seule chose qui lui restait de sa famille. Robin le serra entre ses mains, se releva et se remit en marche.

La pluie qui tambourinait sur elle rendait plus intense l'odeur âcre de fumée qui imprégnait encore ses habits. Elle avait hâte de s'en débarrasser.

Elle aperçut un édifice en pierre de deux étages au bord de la route, dont l'arrière donnait sur un bois de bouleaux. De l'arche qui surmontait la porte d'entrée pendait une enseigne de fer qui représentait une oie. L'Auberge de l'Oie Ivre était son but.

Elle espérait y trouver refuge, ainsi que des informations. Il y avait là un continuel va-et-vient d'individus et elle pourrait y recueillir des indications concernant le chevalier et son frère. Elle y était déjà venue avec sa mère qui y vendait des œufs et du lait, mais n'avait jamais eu la permission d'entrer. Cette fois elle s'y risquerait. Elle offrirait ses services en échange d'un peu de nourriture et d'un endroit où

La Grande Route du Nord
Édimbourg
1 yard = 0,9144 mètre = 3 pieds = 36 pouces
1 mille = 1 609 mètres = 1 760 yards
1 pied = 30,48 centimètres = 12 pouces = 0,3 yard
1 pouce = 2,54 centimètres = 0,08 pied = 0,027 yard
Boroughbridge
York
Leeds
Ferrybridge
Aire
Pontefract
Loxley
Trent
Nottingham
Tutbury
Londres
N
La Grande Route du Nord reliait
Londres à York et à Édimbourg.
Depuis ses origines aux temps préromains,
elle était la plus grande voie de passage
de tout le pays, du nord au sud.
La route moderne A1 en suit le tracé.

dormir ; l'abri pour les chevaux à droite de l'édifice principal lui irait très bien. Elle pourrait aider à la cuisine et faire les chambres, elle était prête à tout pour se rendre utile.

Les deux cents mètres boueux qui la séparaient de l'établissement lui parurent interminables.

À l'Auberge de l'Oie Ivre

Robin parvint sous l'enseigne à bout de forces. Elle toqua et poussa la lourde porte de bois. La poignée était graisseuse. Une fois franchi le seuil, elle se retrouva dans une vaste pièce qui n'avait pas été nettoyée depuis des siècles. Une odeur nauséabonde imprégnait l'air. De la sciure mêlée à de la boue séchée jonchait le plancher, noirci par des couches d'immondices. Il ne pleuvait pas là-dedans.

— Il y a quelqu'un ? cria-t-elle.

— Qui est là ? répondit une voix masculine perçante.

— Je suis Robin, fille d'Ellen et de Matthew de Wellfield.

Un grand remue-ménage retentit à la porte qui donnait sur l'arrière, puis l'aubergiste apparut sur le seuil.

C'était un gaillard gigantesque, aux mains énormes qui semblaient faites pour déraciner des chênes millénaires. Son visage joufflu lui donnait l'air d'un pourceau.

Plus crasseux encore que la pièce, il grattait sa barbe hirsute tout en la fixant. Robin comprit pourquoi il ne plaisait pas à sa mère.

— Que veux-tu, petite ? Où est ta mère ? demanda-t-il après l'avoir dévisagée avec malveillance quelques secondes de trop. Et pourquoi es-tu aussi crottée ?

— Wellfield a été attaqué. Je suis l'unique survivante.

— L'incendie d'il y a trois soirs… c'était donc là l'origine de la fumée, médita l'homme à part soi, avec une expression rien moins que chagrine. Qui vous a attaqués ?

— Des cavaliers. J'ignore qui ils étaient. J'espérais que vous pourriez m'en dire plus, qu'ils seraient passés…

— Et tes parents ? interrompit-il.

Robin ne répondit pas. Elle lui avait déjà dit qu'elle était l'unique survivante. Son inquiétude, due à la façon dont il la regardait, s'accrut.

— Je suis venue ici…

— … en quête d'un repas et d'un lit… comme tous les autres, acheva l'aubergiste qui se rapprochait sans cesser de la dévisager. Décris-moi ces cavaliers.

— Ils étaient armés et… cruels, s'énerva Robin. Mais j'aimerais vous demander si…

— Comment se fait-il que tu sois encore vivante ? insista l'aubergiste.

— Mon père m'a contrainte à me cacher. Je suis venue pour vous offrir mes services. Je sais vider le gibier, cuisiner, balayer, tanner les peaux…

— Tu veux le gîte et le couvert ? Paie et tu les auras.

— Je n'ai pas d'argent, mais…

Elle s'interrompit parce que l'aubergiste allongeait la main et se saisissait du médaillon.

— Cela suffira pour une semaine.

Robin recula d'un pas et se libéra d'un coup sec. La croix glissa hors de la main de l'homme et elle la fit disparaître rapidement dans le col de sa tunique.

— Ce médaillon n'est pas à vendre, déclara-t-elle d'une voix ferme.

— Toi, si ! cracha l'aubergiste qui lui empoigna le bras avec la force d'un piège à loups.

— Lâchez-moi ! hurla Robin.

L'homme passa son autre main autour d'elle et la souleva à bout de bras.

Elle se débattit comme un beau diable, tenta de le mordre malgré l'odeur nauséabonde qui émanait de sa personne ; mais lui, gros et fort comme il était, n'eut aucun mal à la maîtriser et l'emmena vers l'autre pièce.

— J'ignore ce que vous avez manigancé dans ton village, mais si personne ne devait survivre, toi, tu ne devrais pas être là. Le chasseur de primes sera très intéressé par ta triste histoire et saura certainement combien tu vaux.

Robin aperçut le cadre de la porte et cessa de se débattre.

— Brave petite, siffla l'aubergiste.

— Je vous en prie, lâchez-moi ! implora-t-elle de la voix la plus suppliante dont elle était capable. Je ferai tout ce que vous voulez…

À cinq pieds de la porte, Robin contracta les abdominaux, leva les jambes, plaqua les pieds contre le chambranle, s'arc-bouta de tout son poids et déséquilibra l'homme qui bascula sur le côté. La jeune fille déplaça son poids dans la même direction en soulevant les jambes. Pour éviter de tomber, l'aubergiste dut s'appuyer à une planche ; Robin en profita pour se ruer vers la porte.

— Reviens ici, maudite punaise ! brailla-t-il.

Mais Robin filait déjà dehors, détalant à toutes jambes. Elle n'avait pas encore parcouru cinq mètres qu'elle se rendit compte que l'aubergiste la suivait.

— Tu ne pourras pas t'échapper pour toujours, hurla-t-il.

« Je suis capable de bien d'autres choses », pensa Robin, qui ne jugea pas utile de gaspiller son précieux souffle pour le lui dire.

Le cent unième pas

Si sa corpulence rendait l'aubergiste très fort, en revanche, elle lui ôtait agilité et rapidité. Robin prit plusieurs longueurs d'avance en s'enfonçant dans les bruyères et en zigzaguant à travers les buissons, avec une endurance dont elle ne se serait pas crue capable. Elle se retourna sans cesser de courir : elle le vit arrêté, qui reprenait son souffle, les jambes fléchies, les épaules basses et les mains appuyées sur les genoux. Elle estima qu'elle pouvait ralentir, tout en continuant malgré tout à s'éloigner à pas véloces. Rien ne s'était déroulé comme elle l'aurait voulu, mais, pour l'heure, elle espérait qu'elle s'en était sortie.

Une trouée dans les nuages permit à un rayon de soleil d'illuminer la forêt qui s'étendait à environ trois cents mètres de distance, et les feuilles baignées de lumière resplendirent.

Robin se retourna encore, l'aubergiste s'était redressé, les bras collés aux flancs, et la regardait s'éloigner.

Il avait renoncé à la suivre. Elle poursuivit sa route prestement, sans bien savoir où aller. Ses jambes la portaient vers la forêt. Ce lieu qui avait été son rêve devenait manifestement sa planche de salut. Toutefois, dans son rêve, son père et Philip l'accompagnaient, connaissaient les sentiers qu'il fallait emprunter et savaient se tirer d'affaire face aux hors-la-loi.

Robin ignorait si elle pouvait se débrouiller seule. Au village, personne n'avait oublié Fred, le benjamin de Jack Trois Doigts. Une troupe de brigands l'avait tué pour lui dérober son cheval, une rosse chétive qui mettait à grand-peine un sabot devant l'autre. Ensuite il y avait eu le moine de York. Le père de Robin l'avait trouvé presque agonisant sous un chêne. Sa mère et la femme du meunier l'avaient soigné des jours durant avant qu'il se rétablisse. La fille de John Grande Bouche s'était enfoncée entre les arbres à la recherche de glands pour faire de la farine et n'était plus jamais revenue. Presque tous au village avaient eu des ennuis dans la forêt ; c'est là qu'étaient restés les doigts manquants de Jack après un affrontement avec un groupe de bandits. Et il y avait les loups. Robin n'aurait pas aimé les affronter. Une meute avait dévoré un des fils de Bess, quand il s'était aventuré seul dans les bois.

Pourtant, les arbres l'abriteraient de la pluie, elle trouverait à manger et pourrait se désaltérer dans les ruisseaux. Peut-être réussirait-elle à se réfugier dans une grotte et à se déplacer sans bruit, comme son père le lui avait appris. Surtout, elle n'avait pas d'autre choix.

Alors Robin prit sa décision. Elle vérifia si l'aubergiste était toujours là. En effet, il l'observait sous la pluie qui tombait, plus légère. Elle progressa encore à travers la bruyère, mais se retourna vers la route. Lorsque l'auberge disparut de sa vue, elle fit volte-face et se dirigea droit vers la forêt.

Parvenue à la lisière, elle fit halte devant deux vieux frênes majestueux. Elle avait toujours obéi à ses parents et respecté l'interdiction d'entrer dans la forêt, elle ne s'était jamais éloignée à plus de cent pas du logis. Désormais, les règles avaient changé. Le cent unième pas qu'elle n'avait jamais risqué devant Wellfield, elle allait le faire dans un endroit de la forêt dont personne ne lui avait jamais parlé. Cela n'aurait rien à voir avec ce qu'elle avait imaginé. Mais le moment était arrivé. Elle leva le pied, passa entre les deux arbres et s'enfonça sous l'épais feuillage vers sa nouvelle vie.

Ce qui la frappa tout d'abord fut l'odeur de mousse. Les feuilles la protégeaient de la pluie, et ne plus sentir sur elle le tambourinement des gouttes fut un soulagement. Elle s'efforça de rester concentrée. À l'auberge, elle avait commis une grave erreur : elle avait baissé sa garde et accordé sa confiance à mauvais escient. Elle ne le referait plus. Et elle devait se fabriquer des armes.

Elle scruta les alentours à la recherche de quelque chose d'utile. Une grosse branche se trouvait à terre. Elle se pencha pour la ramasser : un bâton n'était pas l'arme la plus sophistiquée qu'on puisse imaginer, mais c'était déjà quelque chose. Elle continua son chemin.

Moins de dix pas plus loin, la forêt lui souhaita la bienvenue : un pommier sauvage aux branches chargées de fruits.

Son instinct lui souffla de courir vers lui. Puis elle se ravisa et tendit l'oreille pour être certaine qu'il n'y avait personne. Elle ne pensait pas vraiment à un guet-apens, mais si elle devait s'habituer à rester constamment sur le qui-vive, autant prendre le pli tout de suite. Elle entendit le cri d'une perdrix invisible, de légers bruissements, le crépitement des gouttes de pluie sur les feuilles. Pas de quoi s'inquiéter. Elle s'approcha du pommier, cueillit une pomme et la croqua. Bien qu'elle soit terriblement acide, elle lui sembla délicieuse. Elle en cueillit quatre autres et s'assit au pied de l'arbre pour les manger, le bâton à portée de la main.

Ses vêtements trempés la gênaient, mais ses forces lui revenaient peu à peu. Après la deuxième pomme, elle enleva sa tunique et l'essora. Elle arracha une bandelette de tissu du pan inférieur, puis une autre de la même longueur. Elle étendit sa tenue et les bandes de tissu pour qu'elles sèchent. Elle avala la troisième pomme en pensant avec gratitude à Peter. Il habitait la masure en face de la sienne, venait d'une île située au large d'une ville qui s'appelait Valente, Valence... quelque chose comme ça. Avant de devenir paysan, il avait été soldat. Il avait appris à ses fils, Alphonse et Richard, à fabriquer des frondes. Robin frissonna en se rappelant les avoir tous enterrés, avant de sourire au souvenir des après-midi passés avec les deux garçons à viser des bûches... mais pas seulement. Car à l'époque, tout était bon pour servir de cible. Alphonse et elle se disputaient la victoire. Richard, imbattable à la lutte à mains nues, aurait raté une vache à trois pas. Une fois, il avait frappé l'énorme postérieur du meunier qui s'était lancé à leurs trousses, braillant dans tout le village.

Robin termina la quatrième pomme, pressée de se remettre en route et de repérer des branches suffisamment flexibles pour se construire une fronde. Si elle bougeait, elle souffrirait moins du froid. Elle se releva, posa sa tunique sur le bâton pour qu'elle sèche plus vite, fourra dans ses poches les bandes de tissu et six autres pommes, enterra les pépins des fruits qu'elle avait mangés afin de ne laisser aucune trace de son passage. Arme à l'épaule, elle mit le cap sur les collines ; elle y dénicherait plus sûrement une grotte où se réfugier.

Tout en marchant, elle pensa de nouveau au Chevalier du Dragon. Quand elle le trouverait, elle le tuerait pour venger sa famille, mais aussi Peter, Alphonse et Richard et tous les autres habitants de Wellfield qu'elle avait dû ensevelir.

Elle marchait depuis un bout de temps quand elle le vit. Elle ignorait de quel arbre il s'agissait, elle n'en avait jamais vu de semblable, mais ses branches étaient minces et flexibles. Elle en arracha deux et les écorça. Elles étaient encore plus souples qu'elle ne l'avait espéré. Elle prit les deux bandelettes d'étoffe qu'elle avait déchirées dans sa tunique, les enroula l'une avec l'autre. Elle obtint un lacet qu'elle tressa avec les branches, de la même façon qu'elle tressait les beaux cheveux de sa mère. Elle forma ainsi un cordon unique avec une encoche à une extrémité et une sorte de petite poche au centre : sa nouvelle fronde. Elle vérifia sa robustesse par une série d'à-coups et la fit claquer comme un fouet. Certes, l'arme n'était en rien comparable aux frondes de cuir que fabriquait Peter, mais elle ferait l'affaire. Il ne lui restait qu'à l'essayer.

Elle glissa le majeur de la main droite dans l'encoche et saisit l'autre extrémité entre le pouce et l'index. La poche au centre du cordon tombait parfaitement, idéale pour accueillir les projectiles.

Robin y plaça un caillou, se mit en position, fit tournoyer la fronde et visa le nœud sur le tronc d'un chêne qui se dressait à dix pas. Lorsque le cordon eut atteint la vitesse nécessaire, elle relâcha l'extrémité. Le caillou jaillit vers le tronc et…

Toc !

La pierre frappa le tronc à six pouces du nœud. Ce n'était pas dans le mille, mais un coup pareil arrêterait quiconque tenterait de s'approcher trop près d'elle. Robin recommença son tir six fois et toucha la cible à la septième.

Elle enfila sa tunique et dissimula son médaillon en dessous. Ce qui était arrivé à l'Auberge de l'Oie Ivre ne se reproduirait pas.

Elle remplit la poche de cailloux, glissa le majeur dans l'encoche de la fronde, empoigna le bâton de l'autre main et reprit sa route.

Soudain, Robin eut l'impression de ne plus être seule. Elle serra son bâton et s'arrêta, l'oreille aux aguets. La forêt se taisait. On n'entendait plus aucun bruit. Elle fit quelques pas et s'arrêta de nouveau. Encore le silence. La sensation que quelqu'un était en train de l'observer persista. Elle tâta sa poche, sentit les pommes en dessous et les cailloux dessus. Ils lui serviraient pour recharger sa fronde à la hâte en cas de nécessité. Elle ramassa une pierre, ovale et légèrement plus petite que son poing, chargea la fronde et prit entre les doigts l'extrémité qu'elle avait laissée pendre pendant la marche : son adversaire, quel qu'il soit, aurait affaire à elle.

Prise au piège

La forêt était toujours silencieuse. Robin se remit en marche avec prudence. Elle n'entendait rien d'autre que le bruit de ses pas, mais sa fronde était prête à servir. Le cri d'un oiseau la fit se retourner brusquement. Elle essaya de se détendre. Il lui semblait percevoir une présence, sans en être certaine.

Elle continua son chemin, tous ses sens en alerte. Le soleil commençait à décliner quand elle entendit le joyeux murmure d'un ruisseau. Elle le vit bientôt, au-delà d'un bouquet de marronniers, large de deux mètres et à l'eau cristalline. Ses flots moutonnaient en coulant vers la vallée, créant tourbillons et remous autour des pierres qui affleuraient à sa surface.

Robin examina les alentours, l'oreille tendue, et conclut qu'elle ne craignait rien. Elle posa son bâton et se pencha pour boire. L'eau fraîche, exquise, lui rendit des forces.

— Pas un geste ! lança une voix qui provenait des hauteurs.

Robin se maudit mille fois. Dans cette position, elle ne pouvait utiliser la fronde, et le bâton était à terre.

— Et toi, descends de là ! cria-t-elle.

Elle se releva d'un bond, fit tourner sa fronde et leva les yeux. Une silhouette se dissimulait entre les feuilles du chêne, sur l'autre rive.

— Jette ta fronde, fit une autre voix qui semblait provenir d'un frêne à une dizaine de mètres du chêne. Tu es encerclée !

— Laissez-moi tranquille. Je n'ai rien que vous puissiez dérober, rétorqua-t-elle, consciente que ses chances étaient moindres avec deux objectifs aussi éloignés l'un de l'autre.

Il y eut un bruissement et un garçon qui pouvait avoir son âge, peut-être un peu plus jeune, émergea d'entre les arbres. Les yeux fixés sur elle, il la visait de son arc. L'expression de son regard était lumineuse.

— Laisse tomber ton arme, ordonna-t-il. Nous te tenons en joue et nous sommes nombreux.

Robin cessa de faire tournoyer sa fronde, mais ne la lâcha pas.

— Je vous l'ai déjà dit, je n'ai rien ! Je veux juste... commença-t-elle fermement.

Un éclat de rire sonore provenant du chêne l'interrompit.

— Vous avez entendu ? Elle n'a rien ! N'est-ce pas curieux que tous répondent de la sorte ?

— Vous pouvez venir vérifier, je n'ai rien ! Je veux juste aller au pied de la colline.

— Si tu veux traverser notre territoire, tu dois payer le péage, dit la voix grave dans le chêne. Mais tu ne peux pas t'y installer. Le pied de la colline nous appartient.

Avec un bruit sourd, un garçon blond, plus âgé que l'autre, atterrit sur la mousse qui entourait l'arbre : lui aussi était armé d'un arc et avait des mouvements nerveux. Musclé, il avait les cheveux bouclés et une barbe légère. Il encocha sa flèche et, le regard empli de défi, la rejoignit, passant le gué avec aisance. Le premier garçon qui était apparu en fit de même.

— Décidément, tu es en piteux état… siffla le blond.

— Que t'est-il arrivé ? lui demanda le premier.

Robin eut l'impression que le plus jeune était d'un naturel aimable, aussi répondit-elle.

— Peu importe ! Je veux juste…

— Passer ! compléta le blond à barbichette. Sauf que, pour passer…

— Je dois payer, j'ai compris ! Voilà… s'emporta Robin. Je vous laisse ma fronde et tout ce que j'ai.

Elle jeta sa fronde à terre et tout ce qu'elle avait dans sa poche : les pommes et les cailloux.

— Je peux passer, à présent ?

— Nous avons réclamé un péage, pas une aumône ! gronda le blond.

Et il posa la main sur son flanc, comme s'il voulait la fouiller.

— Du calme, Will, c'est une fille ! fit la première voix qu'elle avait entendue dans le frêne.

Robin se retourna et vit s'approcher un garçon à peu près de la taille de son frère Philip. Les cheveux roux et les yeux verts, il avait un sourcil fendu juste au-dessus de la pupille. Il portait son arc à l'épaule et toutes ses flèches dans un carquois. Contrairement à Will, le Blond, il ne semblait pas d'humeur querelleuse.

— Les filles mentent par nature et portent malheur, répliqua Will qui lui lança un regard venimeux. Donc, soit elle trouve le moyen de payer, soit elle rebrousse chemin.

Robin, interdite, remarqua les regards qu'échangèrent le plus jeune et le Rouquin au sourcil fendu. Elle nota également que ce dernier jetait un coup d'œil au col de sa tunique. Elle espéra qu'il n'avait pas aperçu son médaillon.

— Je vous en prie… dit-elle, n'ayant plus d'autre carte à jouer.

Le plus jeune baissa son arc.

— Que le sort en décide ! proposa-t-il joyeusement. Mud lui pose une de ses devinettes, si elle la résout, elle passe, sinon, elle repart d'où elle est venue.

— Ça me va, dit Mud Sourcil Fendu. Et toi, Will, qu'en dis-tu ?

— Si elle devine, elle passe, mais elle va à l'est, fit le Blond.

Robin ne soupira pas de soulagement. Elle avait consacré des soirées entières à jouer aux devinettes avec son père, sa mère et Philip, mais elle n'avait jamais été très forte à ce jeu. Après les premières phrases, elle devenait distraite et se mettait à penser à autre chose.

La plus douée de la famille avait toujours été sa mère. Elle espéra avoir hérité d'une infime partie de son esprit alerte.

— Allons-y, commença Mud Sourcil Fendu en la scrutant de ses grands yeux verts. Mon nez pointe vers le bas. Je bouge sur le ventre, je creuse le sol...

Robin en aurait bondi. Celle-là, elle l'avait déjà entendue. Il fallait qu'elle réfléchisse ! Une pelle, peut-être, ou quelque chose du genre.

Pendant ce temps, Mud continuait d'une voix morne :

— Je vais où me porte mon maître qui chemine courbé sur ma queue !

Non, impossible que ce soit une pelle. La pelle ne bougeait pas sur le ventre, et pour s'en servir, on ne se penchait pas à ce point-là. La réponse ne lui venait pas à l'esprit, et elle fut prise d'angoisse. Puis, dans un coin de son cerveau, résonna la douce voix de sa mère.

— La charrue ! s'exclama-t-elle.

— Bravo ! exulta le garçon.

Sourcil Fendu lui sourit. Will le Blond la gratifia d'une grimace agacée.

— On voit clairement que c'est une paysanne, tu ne pouvais pas en choisir une autre ? tonna-t-il à l'adresse de son compagnon.

Mud se contenta de hausser les épaules.

— Prends ta camelote et va-t'en ! ordonna Will sans la moindre gentillesse. Et dirige-toi vers l'est.

Craignant que le Blond ne change d'avis, Robin ramassa ses affaires à la vitesse de l'éclair. Tandis qu'elle se penchait, elle plaqua la main sur l'encolure de sa tunique pour ne pas révéler la présence du médaillon. Elle se redressa sans un mot, franchit le gué et partit vers la droite. Elle sentait sur elle les yeux des trois garçons qui parlaient à voix basse. Elle était contente de s'en être tirée, furieuse cependant de s'être de nouveau laissé surprendre. Ces garçons étaient terriblement doués pour se dissimuler entre les feuilles et ne pas se faire entendre. Elle ne devait son salut qu'au caractère sympathique du plus jeune et de Sourcil Fendu.

Elle s'éloigna sans se retourner, traversa des fourrés et des rus, enjamba le tronc d'un chêne abattu. Près d'un demi-mille plus loin, elle commença à penser que le Blond l'avait bel et bien laissée partir. Encore sept cents mètres et les feuillages bruissèrent. Aussitôt, elle fit tourner sa fronde et lança un caillou contre le frêne d'où le bruit était venu.

— Laisse tomber la fronde, entendit-elle.

Robin reconnut la voix du Rouquin, Mud Sourcil Fendu.

Dis oui

Le bâton calé au creux de son bras, Robin rechargea sa fronde. Sourcil Fendu sortit de derrière le frêne, son arc toujours à l'épaule et les flèches dans son carquois. Derrière lui apparut le gamin, avec ses armes sur le dos.

— Que voulez-vous encore ? s'écria Robin en faisant de nouveau tournoyer sa fronde et en laissant glisser le bâton dans sa main. Votre stupide devinette, je l'ai…

— Du calme ! Nous sommes curieux, c'est tout ! Moi, je me nomme Bryce ! proclama le gamin qui s'approcha avec un grand sourire.

Robin cessa son manège, mais resta immobile.

L'autre lui fit écho.

— Moi, c'est Mud, dit-il, peut-être moins cordial. Et toi ?

— Robin.

Bryce se campa devant elle et lui tendit la main. Robin relâcha la fronde, et la pierre qui servait de projectile tomba à terre. Elle serra la main de Bryce, tout en étreignant son bâton.

— Comment es-tu arrivée dans le coin ? demanda Mud Sourcil Fendu, tandis que Bryce s'asseyait sur la souche d'un arbre foudroyé.

Robin hésita.

— C'est une longue histoire, finit-elle par dire.

— Raconte-la-nous ! insista Bryce. (Il fouilla dans une des poches de sa tunique vert foncé et en sortit un morceau de pain qu'il présenta à Robin.) Tu as faim ?

— Tu n'avais pas dit que tu n'en avais plus ? lui reprocha Mud.

— Je n'en avais plus pour Will, il mange trop. (Il s'adressa de nouveau à Robin.) Alors, tu le veux ?

Robin ne comprenait pas ce changement d'attitude. Ils l'avaient arrêtée, menacée de leurs armes et contrainte à modifier son itinéraire. Et maintenant, ils avaient envie de bavarder ?

— Et Will, où est-il ? s'enquit-elle.

À ses yeux, le Blond était le plus hostile des trois.

— Il n'est pas là, il n'est pas aussi méchant qu'il en a l'air et le pain n'est pas empoisonné ! répondit Bryce.

Pour le lui prouver, il en mangea un morceau.

Robin accepta le pain. Le gamin lui sourit. Mud s'assit aux pieds de son compagnon. Robin resta debout, jaugeant ses interlocuteurs. Elle s'était promis de ne se fier à personne, mais parfois, il suffit d'un rien pour tout changer : la lumière qui tombe selon un certain angle, une feuille qui tourbillonne vers le sol, la façon dont quelqu'un te regarde ou te sourit. De petits détails qui, soudain, prédisposent ton âme à faire un choix et à en refuser un autre.

À ce moment-là, un rayon de soleil solitaire transperça le feuillage, illuminant une partie du sous-bois et le sourire de Bryce. Et Robin décida de leur donner une chance. Elle s'assit, posa le bâton, expliqua que son village avait été attaqué par un groupe de cavaliers qui avaient emmené son frère.

— Et les autres ? voulut savoir Bryce.

Robin serra les dents.

— Je suis la seule survivante, répondit-elle. Avez-vous déjà vu un chevalier qui monte un étalon bai au caparaçon vert et avec un dragon rouge dessus ? Savez-vous qui cela pourrait être ?

Mud secoua la tête.

— Je suis désolé, murmura Bryce qui lui posa la main sur l'épaule et l'enleva aussitôt. Misère noire ! Ta tunique est trempée ! Mud, donne-lui la tienne !

Le garçon fit mine de se lever. Robin l'arrêta.

— Ce n'est pas la peine, merci !

— Si tu refuses parce que tu veux dissimuler le médaillon que tu portes autour du cou, je l'ai déjà vu, fit Sourcil Fendu.

Robin tressaillit.

— Nous n'avons pas l'intention de te l'arracher, continua le garçon. Toutefois, je voudrais le voir de plus près.

— C'est pour cela que vous êtes revenus ? demanda Robin qui regrettait de leur avoir fait confiance.

— Pas seulement, rétorqua Bryce.

— C'est tout ce qu'il me reste de ma famille. Je ne suis pas disposée à le céder, déclara Robin d'une voix ferme.

Sourcil Fendu l'examina avec soin, sans malveillance, néanmoins. Elle allongea la main vers le bâton et l'utilisa comme levier pour se remettre debout. Elle recula de quelques pas, sortit le médaillon de dessous sa tunique et le leur montra.

— Misère de misère noire, Mud ! C'est bien le tien ! s'exclama Bryce les yeux écarquillés.

Robin serra son bâton.

— Ôtez-vous cette idée de la tête ! C'est un présent de mon frère ! Et ce n'est pas un voleur !

— Du calme ! Tout va bien ! déclara Bryce sans se troubler.

— Retirez ce que vous avez dit ! cracha Robin.

Mud, tout en restant assis, se couvrit les yeux de ses mains et énonça :

— Le médaillon a la forme d'une croix. Ses bords sont lisses. Cinq pierres de lune y sont enchâssées ; à la lumière, elles ont un éclat bleu-vert. Au centre, il y a une gemme bleu outremer.

Robin était anéantie. Il était peu probable que Sourcil Fendu ait remarqué et mémorisé tous ces détails en si peu de temps, mais pas impossible.

— Maintenant, retourne-le, poursuivit Mud. À l'endroit où les bras de la croix se rencontrent, il y a un cygne gravé.

Le médaillon
Les cinq pierres de lune les plus petites symbolisent les vertus du possesseur du médaillon : prudence, esprit d'équité, force, espoir et équilibre.
La grande pierre précieuse centrale est un lapis-lazuli. Elle représente le coeur de celui qui porte le pendentif, capable de transformer ces vertus en actes.
Cette gemme fut décrite comme « fragment de la voûte stellaire » en raison de l'intensité de son bleu.
Pierre de lune
La pierre qui se nomme Astrios est semblable au cristal et brille comme la pleine lune.

Robin cessa de respirer. Le cygne gravé était bien là. Mud ne pouvait pas avoir vu l'autre face du médaillon. Il ne mentait pas.

— Philip n'est pas un voleur… répéta-t-elle mécaniquement. Il l'a trouvé dans les bois il y a quelque temps et…

— Personne ne l'accuse, précisa Mud en ôtant les mains de ses yeux. J'ai encore la chaîne où il était suspendu. Un des maillons est brisé. Quand je me suis rendu compte que j'avais perdu le médaillon, je l'ai cherché, en vain. Peut-être ton frère l'avait-il déjà trouvé, ou peut-être pas. Cela arrive. Personne ne lance d'accusation.

Robin en resta sans voix et cessa de serrer le bâton. Ces deux-là soufflaient sans cesse le chaud et le froid : ennemis, puis amis, peut-être ennemis et à présent une nouvelle fois amis.

— Rassieds-toi, lui dit Bryce. Nous n'avons pas terminé de parler.

Robin hésita. Que faire ? S'il était vrai que Mud n'accusait personne, il était aussi évident que ce médaillon lui appartenait. Bien qu'il lui en coûte, elle l'ôta de son cou et le lui tendit.

— Je ne te l'ai pas demandé et je n'en veux pas. On te l'a offert, il est à toi.

Robin ne s'attendait pas à cela. Stupéfaite, elle resta le bras tendu, le médaillon dans la paume.

— Si personne n'en veut, moi, je le prends ! s'écria Bryce.

Il allongea soudain la main vers Robin qui retira instinctivement la sienne. Le gamin éclata d'un rire tonitruant.

— Quels sont tes plans, à présent ? demanda-t-il quand il eut retrouvé son sérieux.

— Survivre, trouver un refuge, m'organiser pour réussir à retrouver mon frère…

Mud et Bryce échangèrent un regard entendu.

— Que dirais-tu de venir avec nous ? proposa Sourcil Fendu.

— Avec vous ? s'étonna Robin.

— On est un bon nombre, on s'entraide et on sait comment survivre, expliqua Mud. Comme Bryce ne cesse de me le répéter depuis qu'on t'a rencontrée, la forêt n'est pas l'endroit idéal pour une fille seule. Je ne sais pas si tu as une idée des brigands qui rôdent dans les parag…

Robin ne put éviter d'afficher une expression perplexe.

— Tu ne penses tout de même pas que les brigands, c'est nous ?! s'esclaffa Bryce.

Robin murmura, embarrassée, puis sourit.

— Il se peut que quelque chose de la sorte m'ait traversé l'esprit… oh, à peine un instant ! plaisanta-t-elle.

Au souvenir de la fille de John Grande Bouche, du jeune Fred, du moine de York et des doigts de Jack, la perspective d'accepter la proposition des garçons la tentait. Le comportement de Mud l'avait conquise, Bryce était sympathique. Ces deux-là avaient l'air de se débrouiller, savaient comment se déplacer et lui plaisaient un peu plus à chaque seconde.

— C'est vous qui m'observiez… environ une heure avant que… hum… qu'on se rencontre ? demanda-t-elle tout en essayant de se décider.

— À ton avis ? Dès que nous t'avons entendue, tu étais déjà encerclée, répondit Mud.

— Viens avec nous et ce soir tu dîneras à ta faim ! chantonna le gamin.

— Autant que tu le saches, ricana Mud, Bryce ne se rend pas facilement.

Robin sourit avec gratitude au gamin qui la regardait, enthousiaste.

— Il te suffit d'un moment. Le temps de dire oui ! Écoute : oui, oui, oui, oui, oui, oui, oui, oui, oui. Et je pourrais continuer à le dire jusqu'à ce soir ! Oui ! Oui ! Oui ! Oui ! Oui ! Oui ! Oui !

— Fais-le taire ! supplia Mud, tandis que l'autre continuait de psalmodier des chapelets de « oui ». Ou il va nous casser les oreilles jusqu'à demain !

— J'ai une seule question, dit Robin. Will est d'accord ?

Bryce haussa les épaules et esquissa un sourire.

— Il le sera.

Combien vaux-tu ?

À mesure que le soleil déclinait, l'obscurité s'insinuait entre les arbres. Les longs hurlements qui dominaient le bruit des branches déplacées et des pas sur les brindilles lui firent penser qu'elle avait pris la meilleure décision. Seule, elle aurait peut-être pu affronter un loup ou deux, morte de peur, pas davantage. Malgré cela, il lui restait un doute.

— Pourquoi m'avez-vous proposé de me joindre à vous ? demanda-t-elle à Bryce et à Mud qui cheminaient à ses côtés.

Tant qu'elle n'aurait pas compris pourquoi ils avaient agi ainsi, elle ne se sentirait pas à l'aise.

— Pourquoi pas ? répondit le gamin.

— Ce qui t'est arrivé se reflète dans tes yeux, ajouta Sourcil Fendu. Dans notre clan, nous avons tous une histoire semblable à la tienne. Nous nous sommes retrouvés seuls et quelqu'un nous a tendu la main.

— Et il y a deux autres motifs, reprit Bryce. Essaie donc d'imaginer l'ennui de n'être toujours qu'entre garçons !

Robin sourit.

— Et le deuxième ?

— C'est un secret ! ricana Bryce. Je te le révélerai peut-être un jour.

Robin espérait qu'elle réussirait à convaincre le Blond de l'accepter dans le clan.

— Mais si Will croit que je mens juste parce que je suis une fille, je ne pourrai jamais le convaincre, réfléchit-elle à haute voix.

Elle croisa les yeux de Bryce : ils avaient une expression étrange et énigmatique. Il détourna le regard.

— Will est capable, consciencieux, intelligent et astucieux, expliqua Mud. Et méfiant. L'essentiel, c'est de lui montrer qu'il peut te faire confiance. Laisse-moi parler le premier.

Ils continuèrent à marcher jusqu'à ce qu'ils entendent le hululement d'un hibou.

— Hou ! Hou-hou ! Hou-hou ! répondit Mud en imitant son cri.

— Nous sommes arrivés ! annonça Bryce.

Robin ne comprenait pas *où* ils étaient arrivés. Il lui semblait être encore au beau milieu de la forêt, dans une zone où les arbres formaient une masse compacte devant des fourrés impénétrables.

Un garçon qui mesurait une main de moins que Sourcil Fendu, avec les cheveux noirs et les yeux bleus, sortit de derrière un frêne.

— Je vois un invité ! Une invitée ! Beau travail, les gars ! s'exclama-t-il, les yeux rivés à Robin.

— Elle se nomme Robin ! Elle reste avec nous. Will est revenu ? demanda Sourcil Fendu.

— Depuis un bon bout de temps. Il est au Château.

— On se retrouve là-bas d'ici peu ! fit Mud, et il s'enfonça dans les buissons tandis que Yeux Bleus s'approchait de Robin.

— Enchanté de faire ta connaissance, jeune fille ! Moi, je suis Martin, à ton service, dit-il avec l'expression d'un séducteur comique. (Il fit une profonde révérence, mais ne put la terminer car un caillou lui frappa le dos.) Hé ! cria-t-il en se retournant brusquement.

Un autre garçon émergea des buissons. Il était presque la copie conforme de Martin, à l'exception de ses yeux noirs et de son nez aquilin. Il se dirigea vers Robin tandis que Bryce ricanait.

— Ne te laisse pas impressionner par mon indigne frère, clama-t-il. Si tu as besoin d'un chevalier, me voici ! Je suis Gilbert, pour te servir.

Il bouscula Martin, se plaça devant Robin et lui tendit la main.

Au moment où elle allait la serrer, Martin donna un coup de pied à son frère et prit sa place.

Robin se retrouva avec la main de Martin dans la sienne. Pour très peu de temps, cependant, car Gilbert Nez Aquilin bondit sur son frère et le jeta à terre. Ils commencèrent à se flanquer des coups. Robin voulut s'interposer et interrompre la bagarre. Bryce l'en empêcha.

— Ne gâte pas leur passe-temps favori. Jamais ! Ils se ligueraient contre toi et ce serait toi qui prendrais les coups… expliqua-t-il, amusé.

Martin et Gilbert, à bout de souffle, cessèrent de se bagarrer et se relevèrent, les vêtements pleins de terre. Martin avait l'œil gauche poché, et le nez aquilin de Gilbert était tellement enflé qu'il ressemblait à un gros tubercule.

— De toute façon, bienvenue ! fit Martin en lui tendant la main.

Gilbert fit et dit la même chose en même temps. Ils se regardèrent d'un air hargneux, de nouveau prêts à se battre, mais Robin fut plus rapide. Elle se saisit de leur main à tous les deux et les serra avec vigueur.

— Merci. Je m'appelle Robin.

— Combien vaux-tu ? demanda Gilbert.

— Elle ne vaut rien ; je ne crois pas que ce soit un problème ! répondit Bryce qui leva les yeux au ciel.

Robin se sentit terriblement vexée.

— Vraiment ? s'étonna Martin.

— Incroyable ! Rien, vraiment ? renchérit Gilbert, l'air incrédule.

Robin commença à s'énerver.

— Pourquoi dites-vous que je ne vaux rien ? demanda-t-elle à Bryce d'un ton sec.

— Parce que ta tête n'est pas mise à prix ! La prime sur leur tête est très élevée ! expliqua-t-il, et elle se détendit.

— Et tout le mérite me revient ! se réjouit Martin.

— Mais je t'en prie ! éclata Gilbert les yeux écarquillés. Qui a plumé ce Lord Nez Coulant ? Qui lui a ravi sa cassette de pièces ?

— Mais moi j'ai dérobé le cheval du shérif de York. Selle et harnachement compris ! Et j'ai même donné un baiser à sa fille !

— Compliments ! Le shérif de York n'a que des fils ! Et il est veuf ! Mais il a un chien, c'est une femelle, alors peut-être que tu…

— Nous y revoilà ! rit Bryce.

Martin lança son poing en avant pour frapper son frère. Gilbert se baissa, Robin tenta de s'écarter, mais ne fut pas assez vive et reçut le coup en plein dans l'épaule.

— Oh, pardon, fit Martin.

— Mon frère vise comme un aveugle ! dit Gilbert.

— C'est toi qui n'aurais pas dû te baisser ! Tu savais qu'elle se trouvait derrière toi ! cria Martin à son frère.

Ils recommencèrent à se bagarrer, tandis qu'un autre garçon sortait des buissons. Silencieux comme une fouine, maigrichon, agile et nerveux.

— C'est toi, alors, murmura-t-il en dévisageant Robin de ses petits yeux gris, attentifs et rusés.

— Je suppose que oui, répondit-elle.

Le nouvel arrivant l'observa encore quelques instants.

— Will dit qu'on peut te faire entrer, dit-il d'une voix éteinte. (Puis, à voix basse, il ajouta :) Et Mud, de ne pas dissimuler le médaillon qu'il t'a offert.

Martin et Gilbert cessèrent de se taper dessus.

L'épreuve

Tous s'enfoncèrent dans les buissons touffus. La végétation était épaisse, et dans l'obscurité, Robin tentait d'esquiver les branches basses qui lui fouettaient les jambes. Cependant, elle ne put éviter une tige épineuse qui lui arracha une manche de sa tunique. Martin Yeux Bleus s'approcha et détacha le lambeau d'étoffe qui était resté accroché à la branche.

— Fais attention, conseilla-t-il d'une voix amicale. Suis les pas d'Ewart.

Robin observa le garçon Fouine qui avançait, sûr de lui, d'une manière lente et étudiée. Elle essaya de l'imiter. Devant un autre groupe de hauts buissons, Gilbert lui céda le passage. Lorsque Robin en émergea, elle se retrouva dans une sorte de clairière, illuminée par les flammes crépitantes d'un foyer. Au centre se trouvait la souche d'un énorme chêne. Derrière, debout, son carquois encore sur le dos et son arc à la main, Will la regardait, irrité.

— Je vois que tu as déjà fait connaissance avec tout le monde, cracha-t-il.

Mud lui lança un coup d'œil d'encouragement.

— Ils sont aimables et accueillants, répondit Robin d'une voix ferme.

— Mais son préféré, c'est moi ! s'exclama Martin Yeux Bleus.

— Pauvre rêveur ! riposta Gilbert Nez Aquilin.

Robin pensa qu'ils allaient encore se battre, mais un regard de Will les en empêcha.

— Il n'y a pas de filles dans notre groupe et ce n'est pas un hasard, décréta le Blond.

Robin sentit que Bryce se plaçait à son côté pour lui témoigner son soutien. Elle lui en fut reconnaissante.

— Notre vie n'est pas faite pour les filles, continua Will. Tu serais un poids, nous devrions continuellement te protéger et tu nous mettrais tous en danger. Tu serais bien mieux dans une ville ou un couvent.

— Je sais me défendre seule, répondit Robin, remarquant qu'on ne parlait pas du fait qu'elle aurait porté malheur.

Will la dévisagea.

— Tu commences déjà à mentir, fille ?

— Mets-moi à l'épreuve, le défia Robin.

— Apporte un bout de chandelle, Mud ! ordonna Will.

Sourcil Fendu se dirigea vers un enchevêtrement de ronces derrière eux, tandis qu'Ewart, le garçon Fouine, s'asseyait sur une grosse pierre.

— En attendant, voyons combien d'entre nous toléreraient ta présence, continua le Blond en fixant Robin. Que celui qui croit pouvoir se fier à cette fille lève la main !

Comme un éclair, la main droite de Bryce se leva en premier, et aussitôt après, celles de Gilbert et de Martin. Ewart étendit ses jambes et s'installa plus commodément, comme s'il assistait à un spectacle qui ne le concernait pas.

— Pour moi, c'est égal, dit-il.

— Mud s'est déjà exprimé, tu as donc obtenu la majorité des voix, même si je ne vois pas pour quels mérites, cracha Will.

— Les mêmes que j'avais, moi, quand je suis arrivé, fit Bryce. Et j'ai également vu comment elle utilise sa fronde. Elle est douée.

Mud sortit du roncier, un bout de chandelle à la main. Il l'alluma au foyer. Robin frissonna.

— Mets-la sur la souche, lui ordonna Will. (Puis il s'adressa à Robin.) Tu veux rester avec nous ? Tu es prête à accepter nos règles ?

Robin acquiesça.

— Dans ce cas, tu dois me battre, décréta l'autre.

Mud écarquilla les yeux tandis qu'il posait la bougie sur la souche. Robin frissonna encore. Toucher la cible était une chose. Surpasser le tir de Will en était une autre. Sa fronde n'était pas l'arme la plus adaptée pour un combat.

— Tu ne crois pas que tu exagères ? demanda Bryce. Martin ne peut même pas imaginer te battre et aucun d'entre nous n'est certain d'y parvenir…

— Aucun d'entre vous n'est une fille, coupa Will.

Et il se dirigea vers l'orée de la clairière. Sans regarder Robin, il fit halte devant un buisson, se retourna vers la souche, sortit une flèche de son carquois, l'encocha, banda l'arc et ajusta son tir.

Personne ne parlait. Il n'y avait pas un souffle de vent. Will semblait enfermé dans un monde à part où n'existaient que ses yeux, ses bras, l'arc, la flèche et la trajectoire vers la chandelle.

Un loup hurla dans le lointain. Will tira.

Le sifflement de la flèche emplit l'air. Elle fit mouche et fendit la chandelle en deux ; la moitié transpercée tomba de la souche, l'autre resta dessus. Avec la mèche qui brûlait encore.

Robin pensa à son père.

— À ton tour, fille !

Robin allait rejoindre Will, quand il l'arrêta d'un geste.

— Utilise une arme véritable, cracha-t-il.

— Je n'ai que cela, pour le moment, dit-elle en faisant osciller sa fronde. Et je t'assure qu'elle fonctionne.

— Ça ne m'intéresse pas. Les arcs ne manquent pas par ici.

— Prends le mien, dit Bryce en lui tendant son arme, alors que Robin se penchait pour en ramasser un autre.

— Pas celui-là, prends celui-ci ! répéta le gamin.

— On dirait qu'elle a déjà choisi, coupa le Blond.

Robin comprit que cet échange cachait quelque chose, mais il était trop tard. Mud lui tendit une flèche et elle rejoignit Will qui lui céda sa place en silence.

L'arc qu'elle avait saisi était trop long pour elle. Il était sûrement à Mud, le plus grand du groupe.

Sans encocher, Robin tendit la corde. L'arc n'opposa pas de résistance, il ne se raidit que dans les derniers centimètres de tension. Mauvais signe. Robin relâcha la corde et pensa aux arcs de Philippe et de son père qui se durcissaient dès le début. Si elle avait eu une arme comme les leurs, tout aurait été plus facile.

— Alors, tu te décides ? s'impatienta Will.

Robin ne répondit pas. Elle voulait connaître l'arme qui déciderait de son avenir. Elle tendit la corde et la relâcha. Tendit et relâcha. Baissa l'arc. Observa la mèche. Souleva de nouveau l'arme. Tendit et relâcha la corde. Elle savait que toute autre pensée pouvait la distraire, et elle se rendait compte de ce qui était en jeu. Si elle échouait… non. Aucune autre pensée. Elle devait s'isoler complètement et se transporter dans le monde où n'existaient que la cible et elle. Exactement comme l'avait fait Will.

Elle encocha la flèche en la tenant avec le pouce, l'index et le majeur. En inspirant lentement, elle tendit la corde avec trois doigts : l'index sur la queue de la flèche, le majeur et l'annulaire en dessous.

Elle ajusta sa visée, expira lentement et relâcha la corde juste un peu, pour ne pas se fatiguer inutilement tandis qu'elle visait. Réussir à atteindre le bout de chandelle qui restait à cette distance était impossible. Son arme était inadéquate, ne convenait pas à sa taille et elle ne l'avait jamais utilisée. Elle n'aurait même pas pu y arriver si elle était le prince des archers. Si seulement elle était devenue aussi douée que son père, si seulement il avait eu le temps de lui apprendre le coup de la mèche…

Soudain, un unique souffle de vent provenant de la forêt lui apporta des odeurs de mousse et d'écorce. Les effluves des bois. Le parfum de son père.

« Je t'en prie, Papa, où que tu sois, aide-moi. »

Effluves des bois

Un grand silence régnait. La pointe de la flèche visait la petite flamme de la mèche, l'arc tendu à l'extrême. Robin sentit les effluves des bois lui parvenir plus intenses, et elle tira. La flèche partit, fendit l'air. Avec l'impression que ce n'était pas elle qui avait tiré, Robin retint son souffle.

La pointe siffla dans les airs.

Puis la flèche traversa la mèche en plein centre, éteignit la flamme et ficha le petit bout de chandelle dans la souche.

Hurlement de joie. Robin l'entendit à peine. Elle ne pouvait y croire.

— Misère noire, tu es fantastique ! Fantastique ! Fantastique ! hurla Bryce.

Ewart resta assis, mais s'inclina vers l'avant et écarquilla les yeux.

— Je n'y crois pas, mais je viens de le voir.

— Je te nomme mon chevalier défenseur à vie ! s'enflamma Martin.

— C'est un coup de maître ! acquiesça Gilbert, pour une fois d'accord avec son frère.

Robin nageait en pleine confusion. Elle avait l'impression de se trouver dans une bulle qui flottait et n'arrivait pas à croire qu'elle avait réussi. Le coup de la mèche de son père. Qu'elle n'avait jamais réussi auparavant.

Elle se sentit gagnée par une étrange sensation de vertige. Plongée dans les effluves des bois, elle comprit. Son père, où qu'il soit, lui avait apporté son aide.

Un puissant coup dans le dos la ramena à la réalité. Bryce et Mud se trouvaient devant elle et lui souriaient.

— Ce coup-là, il faut que tu nous l'apprennes à nous aussi ! s'exclama Bryce en proie à l'enthousiasme général.

— Tu saurais le refaire ? demanda Will sur un ton qui refroidit tout le monde.

— Ce n'était pas le marché, rétorqua Robin.

— Et je le respecte, tu fais partie du clan, beugla Will. Donc tu peux me répondre. Tu saurais le refaire ?

Robin secoua la tête.

— Je ne l'avais jamais réussi avant aujourd'hui.

— Sincère, pour une fille, remarqua Will, qui aussitôt après, lui tourna le dos. Mangeons, demain nous allons à la chasse, ajouta-t-il en s'adressant aux autres.

Les garçons se dispersèrent : Will et les frères disparurent dans l'enchevêtrement de ronces, Bryce raviva le feu et Ewart resta assis.

— Que dois-je faire ? demanda Robin à Mud.

— Te sentir la bienvenue.

Tous étaient assis autour du foyer. Ils mangeaient du pain à la farine de gland et des navets.

Bryce découpa un jambon de sanglier, en distribua deux tranches à chacun et donna double ration à Robin en cachette.

Robin sortit les pommes qu'elle avait dans la poche et les partagea avec eux.

Mis à part Will qui se comportait comme si elle n'existait pas, tous semblaient intrigués par sa présence et la bombardaient de questions.

Elle éluda celles qui concernaient sa famille.

— Racontez-moi quelque chose sur vous, à présent ! demanda-t-elle.

Martin se leva avec l'air de vouloir raconter on ne sait quel exploit.

— Je vais commencer ! Le jour où j'ai affronté seul une légion entière de…

Will l'interrompit d'un geste.

— Ce soir, non ! Il est tard. Ewart ! Mud ! Vous êtes de garde ?

— Oh là… répondit Ewart en bâillant et en s'étirant. Je peux passer mon tour à Robin ?

Le Blond lui lança un regard mauvais.

— Une fille de garde ? Tu as perdu la tête ?

Les cavaliers l'avaient fait marcher longtemps, le houspillant et le frappant chaque fois qu'il ralentissait le pas. Ils devaient être arrivés dans une ville et ils l'avaient emmené dans un édifice. En cet instant, Philip savait trois choses de lui-même. Il se trouvait dans un réduit étroit, froid et humide. Il était seul. Il n'y avait pas une seule partie de son corps qui ne le fasse souffrir. Ses poignets étaient déchirés par les cordes qui le ligotaient depuis que les cavaliers l'avaient capturé. On ne les lui avait pas encore enlevées, de même que le capuchon. Il avait mal au côté à cause des coups de pied qu'il avait reçus. Sa blessure à la jambe le brûlait terriblement. Ces douleurs insoutenables lui procuraient une autre certitude. Aucune douleur n'était aussi insupportable que celle qu'il avait éprouvée lorsqu'il avait vu sa mère s'écrouler, la poitrine transpercée d'une flèche. Aucune douleur ne pouvait le torturer comme la pensée qu'il était l'unique survivant de la famille. Il n'avait pas vu qui avait frappé Robin et son père, ni comment, mais il avait parfaitement compris que leurs agresseurs ne voulaient laisser aucun témoin derrière eux.

Aucun.

Et où qu'il se trouve, il ne pouvait rien faire d'autre qu'imaginer comment étaient morts son père et sa sœur. Ses pensées les plus atroces étaient celles où figurait la mort de Robin. Elle qui était innocente de tout, jeune, pleine d'espoir… Son regard enthousiaste quand elle avait reçu l'arc lui vint à l'esprit… elle ne l'utiliserait jamais. Philip éclata en sanglots, mais avec ce capuchon serré autour de la gorge, il se sentit suffoquer et dut se retenir. Il essaya de se calmer. Il ne réussissait pas à comprendre ni à accepter ce qui était arrivé. Il aurait préféré mourir en compagnie des siens ou devenir fou. Mais le destin ne lui avait pas laissé le choix.

Au Château

Mud et Ewart prirent une torche, l'allumèrent au foyer et disparurent dans les fourrés. Will et les deux frères en prirent une à leur tour et les accompagnèrent pour une ronde. Robin exprima tout haut sa pensée en regardant le Blond disparaître.

— Je pensais qu'il me détestait un peu moins depuis que j'avais touché la chandelle, dit-elle.

— Ne t'en fais pas ! la réconforta Bryce en allumant une lampe à huile. Laisse-lui le temps et il deviendra *presque* sympathique aussi avec toi. Maintenant, viens, allons au Château.

— Vous en avez déjà parlé auparavant, qu'est-ce donc ? demanda Robin.

— Un bel endroit, répondit le gamin qui se dirigea vers le roncier où avait disparu Mud.

Le massif de ronces dissimulait un passage où les branches épineuses les plus basses avaient été taillées.

Bryce s'accroupit et, tenant la lampe vers le bas, il s'y faufila. Robin le suivit. Ils rampèrent pendant quelques mètres, puis Bryce disparut et Robin s'arrêta. Un instant après, elle vit la petite flamme vaciller au ras du sol à deux mètres de distance. Et le pied gauche du gamin tourné de côté.

— Tu es là ?

C'était la voix de Bryce.

— J'arrive ! répondit Robin qui s'empressa de le rejoindre.

L'étrange galerie végétale débouchait dans une vaste caverne, une énorme niche creusée dans les entrailles de la colline. Bryce lui souriait et tenait haut la torche de manière à illuminer l'endroit le plus possible.

— Bienvenue ! dit-il.

Robin fut frappée par la chaleur qui régnait à l'intérieur. C'était la première fois qu'elle ressentait de la chaleur depuis la nuit passée dans le puits.

— Ça te plaît ? demanda Bryce qui ne pouvait dissimuler sa fierté.

Robin sourit.

— C'est mille fois mieux que tout ce que je pouvais imaginer !

Ce matin, son plus grand espoir avait été de trouver un trou dans une roche. Au lieu de cela, le Château, et c'est seulement alors qu'elle comprenait ce nom, n'était pas si différent d'une maison. Chaotique et accueillant, il contenait tout ce qui pouvait être utile.

À droite de l'entrée étaient empilés des tonnelets.

— De l'eau, et de l'hydromel pour les jours de fête, expliqua Bryce. C'est Ewart qui le prépare. Il s'est échappé d'un monastère, il y a appris un tas de choses utiles.

À gauche de l'entrée s'entassaient des caisses avec des pommes sauvages, des glands et des châtaignes. Deux jambons de sanglier étaient suspendus aux racines d'un arbre qui s'entrelaçaient sur le plafond voûté. C'est leur parfum qui fit lever la tête à Robin et lui permit de les remarquer.

Diverses armes étaient appuyées et accrochées sur la paroi de droite : des couteaux, des flèches à l'empennage varié, certaines à pointe métallique, trois lances, des filets de chasse, des pièges. Sur la paroi de gauche, près des fruits, il y avait un gros chaudron, des tasses et une louche de la taille d'une pelle. Dans le fond de la grotte, le sol était tapissé de joncs. Et dessus on voyait six paillasses couvertes de peaux. Derrière chacune d'entre elles, il y avait une caisse.

— Ça, c'est la mienne, dit Bryce en indiquant la première à gauche ; puis du doigt, il indiqua celle d'à côté. Ça, c'est la place de Mud, mais cette nuit, tu peux dormir là, étant donné qu'il est de garde, et que, quand il reviendra, on sera debout. Tes vêtements ont séché ?

— Plus ou moins.

— Plus ou moins ne suffit pas, dit le garçon en posant la lampe. Je vais te chercher quelque chose.

Il s'approcha de la caisse de bois derrière sa couche.

— Ce n'est pas la peine, ça va, fit Robin.

Elle s'écroula sur la couche de Mud, un sac plein de feuilles et de mousse. Souple. Elle s'enroula dans la peau de loup qui servait de couverture.

— Tu es fatiguée ? demanda Bryce.

— Épuisée, murmura Robin.

— Ça se voit... répondit le gamin en se jetant sur sa propre couche. Demain, on te préparera une paillasse. Moi, j'ai une peau en plus. Selon les règles du clan, tu auras plein de temps. Tu pourras te construire un arc et des flèches, Mud t'aidera. Il est très doué. Gilbert aussi. Demain, je te montrerai la petite caverne avec les provisions. Tu verras que... Robin ?

Aucune réponse.

— Robin ? répéta Bryce.

La jeune fille s'était déjà endormie.

Wellfield brûlait. Son père courait vers elle, le visage empreint de terreur. La flèche l'arrêtait net. Le Chevalier du Dragon levait son épée pour lui assener le coup de grâce. La chevelure de sa mère était en flammes. Une flèche à l'empennage rouge lui transperçait la poitrine. Hurlements.

Robin se réveilla en sursaut, terrifiée. L'obscurité était totale. Quelqu'un ronflait. Elle se rappela où elle était. Le souvenir de ses parents morts la frappa au cœur. Il lui semblait impossible de passer le restant de sa vie sans eux, même si tous deux avaient réussi à lui faire sentir leur présence : la voix de sa mère lui avait suggéré la réponse à la devinette et son père avait guidé ses bras pour le coup de la mèche. Comme s'ils avaient voulu l'aider à entrer dans ce groupe pour qu'elle ne reste pas seule.

Un deuxième ronflement sonore fit écho au premier. Elle avait eu de la chance de rencontrer les garçons du clan. Elle avait beaucoup à apprendre de chacun et, en leur compagnie, elle deviendrait suffisamment habile pour retrouver Philip et affronter le Chevalier du Dragon. Pour l'instant, elle avait réussi à survivre, à trouver un refuge et des personnes au destin semblable au sien. Peut-être des amis. Certains le deviendraient sûrement, comme Bryce, le gamin aux grands yeux confiants qui avait voulu l'avoir avec eux depuis le premier instant ; et Mud, le Rouquin au sourcil fendu qui lui avait laissé le médaillon. Et aussi probablement Martin Yeux Bleus et Gilbert Nez Aquilin, les frères bagarreurs. Ewart la Fouine, le Grand Maître de la Paresse, était énigmatique. Il ne s'était montré ni amical ni hostile. Peut-être était-il en train de l'étudier, ou alors il était juste trop paresseux pour prendre une décision. Will le Blond, en revanche… tous semblaient lui obéir, mais Robin ne l'aimait pas. Il ne s'agissait pas uniquement de son comportement envers elle. Son regard avait quelque chose de sournois. Sans Will, ce groupe aurait été parfait. Robin espéra que Bryce avait raison et que les choses changeraient avec le temps. Elle replongea dans le sommeil.

Il ne devait pas s'être écoulé longtemps quand elle fut réveillée par d'étranges hurlements. Trois longs, un court. Trois longs, un court. Trois longs, un court.

Il ne pouvait s'agir de loups. Robin toucha le dos de Bryce qui dormait, le visage contre la paroi.

— Hé… réveille-toi…

— Euh… hum… que… ? réussit-il seulement à prononcer.

De nouveau, trois hurlements longs et un court.

En un instant, Bryce fut debout sur sa paillasse.

— Les gars, le signal ! Réveillez-vous ! Réveillez-vous ! Réveillez-vous ! s'écria-t-il.

Will bondit sur ses pieds.

— Préparez-vous ! Tout de suite, ordonna-t-il.

Et il alla prendre son arc.

— Que puis-je faire ? demanda Robin dans la confusion générale.

— Prie pour que ceux qui ont détruit ton village ne t'aient pas retrouvée, fille ! cracha le Blond.

— Je m'appelle Robin ! s'emporta-t-elle.

Mais elle se sentit mourir.

Guet-apens

Ils étaient tous réunis dans la clairière, avec leurs armes. Robin avait pris sa fronde et Bryce lui avait passé une lance. Mud les rejoignit, hors d'haleine.

— Une sorte de convoi, je crois que ce sont des marchands. Dix personnes et deux chariots.

— Ce ne sont pas des chevaliers ? s'enquit Robin.

— Non, ne t'inquiète pas.

Robin se sentit soulagée, Will l'ignora.

— Où sont-ils ? demanda-t-il.

— À deux cents mètres au sud du tumulus... répondit Mud. Ewart les tient à l'œil.

— Allons-y ! Martin et Gilbert à l'arrière ; Mud et Bryce sur le flanc gauche, ordonna le Blond, qui ignora de nouveau Robin.

Sourcil Fendu lui fit signe de le suivre et laissa sa torche par terre.

Ils se déplaçaient dans l'obscurité avec une aisance stupéfiante. On aurait dit qu'ils connaissaient chaque arbre, chaque racine, chaque bosse, chaque dépression de la forêt. Robin était beaucoup moins à l'aise que ses deux compagnons. Par deux fois, elle eut l'impression de les avoir perdus dans l'obscurité, mais ils la rappelèrent avec le cri du hibou.

Peu de temps après, Robin se retrouva dans un cercle comme celui dont elle avait été victime, sauf que cette fois-ci, elle faisait partie des agresseurs. Ce qui lui sembla étrange. Mud grimpa à un marronnier, Bryce et elle firent encore quelques pas et se glissèrent dans un massif de buissons. Ils avancèrent entre les branches jusqu'à apercevoir le convoi au-delà de deux rangées d'arbres. Un gros chariot roulait en tête, suivi d'un petit chariot couvert. Sur chacun, deux torches illuminaient le chemin, mais en faisaient des cibles bien visibles. Les garçons du clan avaient l'avantage d'être dissimulés dans l'obscurité.

— Plus un geste ! Vous êtes encerclés ! retentit la voix de Will depuis un arbre à une vingtaine de mètres du convoi.

— Si vous voulez passer, vous devez acquitter le péage, sinon faites demi-tour.

— Nous n'avons rien ! cria l'homme qui tenait les rênes sur le siège du premier chariot.

L'homme, qui avait une crinière emmêlée et une impressionnante barbe noire, attrapa l'une des torches fixées aux supports métalliques et la leva. Son compagnon, coiffé d'un large chapeau d'homme prospère et vêtu d'un habit surchargé d'ornements, fit signe aux hommes d'armes d'avancer vers eux.

Deux flèches, tirées de deux directions opposées, frappèrent le chariot de chaque côté.

— Si vous mentez ou si vous essayez de nous attaquer, cela vous attirera les pires ennuis, avertit Will.

Grande Barbe Noire proféra des paroles incompréhensibles, mais Robin se concentra sur les membres de leur groupe. Quelque chose clochait. Deux personnes sur le siège de chaque chariot : donc quatre. Trois hommes armés d'épées à pied derrière le premier, deux archers derrière le second : en tout, neuf. Or Mud avait dit qu'ils étaient dix.

Elle le fit remarquer à Bryce qui émit un long hurlement « Houuuuuuuuh » ; puis dans un murmure, il lui expliqua.

— Un seul long hurlement : danger caché.

Tandis que Will et Mud, du haut de leurs arbres, continuaient de parlementer avec les occupants du premier chariot, Robin entendit des branches craquer. Bryce et elle s'aplatirent aussitôt sur le sol. Et de nouveau, d'étranges sons parmi les feuilles. Ils cessèrent brusquement, remplacés par un bruit sourd et un râle. Il était arrivé quelque chose, une agression peut-être. Bryce sortit son couteau.

— Ne bouge pas ! souffla-t-il à Robin.

Elle obéit, mais serra sa lance. Derrière eux, des branches se mirent en mouvement.

— C'est moi, Ewart, chuchota le garçon tandis que son ombre se projetait par-dessus les buissons. Un instant de plus et j'y laissais la vie ! Merci de nous avoir avertis, Bryce.

— Nous avons votre homme ! hurla-t-il ensuite en direction du chariot. Payez le péage et nous vous le rendrons !

— Mensonges ! Vous n'aurez rien de nous, hurla Grande Barbe Noire.

Une flèche frappa la torche qu'il tenait à la main et la lui arracha.

— Ça, c'était Will, dit Bryce en se relevant.

Il rangea son couteau, épaula son arc et tira. Sa flèche frappa le flanc du chariot.

Robin entendit Ewart se déplacer dans les buissons et aperçut son ombre qui se penchait. Un instant plus tard, un couteau et une courte épée volèrent à ses pieds.

— Nous avons fait bonne chasse, murmura-t-il.

Deux claques sonores retentirent, suivies d'une espèce de gémissement.

— Fais ce que je te dis et tu survivras.

C'était de nouveau la voix d'Ewart, mais le ton était très différent de celui que Robin avait entendu jusqu'à présent. Une voix à faire frissonner. Ewart n'était pas le Grand Maître de la Paresse que Robin avait imaginé. Elle s'était trompée sur son compte.

— Vous aurez trois shillings, hurla Grande Barbe Noire.

— L'un des nôtres arrive. Rappelez-vous que vous êtes à portée de tir, cria Mud du marronnier voisin du leur.

Et pour donner plus d'emphase à ses paroles, il fit partir une autre flèche.

Martin sortit de derrière un arbre au-delà du deuxième chariot, le seul endroit d'où aucune flèche n'était partie : il avait son arc dans le dos et un bâton à la main. Derrière lui apparut Gilbert qui épaulait son arc, flèche encochée pointée vers le cocher du chariot couvert. Les autres hommes d'armes s'étaient postés près du premier chariot pour protéger Chapeau d'Homme Prospère. Yeux Bleus souleva la toile qui recouvrait le chariot.

— Des vivres et des caisses ! brailla-t-il.

Gilbert décocha une flèche en direction d'un des hommes qui se déplaçait vers son frère. La flèche se planta dans le sol devant ses pieds et l'homme s'immobilisa.

Martin fit signe au conducteur du second chariot de descendre et d'ouvrir une des caisses. Grande Barbe Noire se raidit.

— Trois shillings et vous nous laissez partir, hurla-t-il vers les arbres.

— Quatre shillings et un sac de viande fumée, répliqua Martin.

Ewart sortit des buissons, à quelques mètres sur la droite de Robin. Il tenait son couteau sur la gorge de l'homme qu'il avait capturé : il lui avait tout pris, même sa culotte.

Grande Barbe Noire regarda Chapeau d'Homme Prospère qui acquiesça, pêcha des pièces dans la bourse qui pendait à sa ceinture et fit signe à l'un de ses hommes. Il lui murmura quelques mots, l'autre prit les pièces, se dirigea vers Martin et les lui remit.

Puis se saisit d'un sac dans le chariot couvert et le lui tendit. Le garçon le prit et courut vers Gilbert qui tenait encore son arc tendu. Les frères disparurent dans l'épais feuillage.

— Poursuivez votre chemin, retentit la voix de Mud.

Au même instant, Ewart ôta son couteau de la gorge de son captif, l'expédia à terre d'un grand coup de pied, recula et disparut entre les branches.

Le convoi se remit en marche.

— Et à présent ? demanda Robin.

— On attend qu'ils s'éloignent, répondit Bryce qui s'assit dans les buissons et remit son couteau à sa ceinture.

L'aube venait à peine de blanchir le ciel quand les membres du clan se retrouvèrent au tumulus.

Will avait l'air sombre.

— Nous avons commis une erreur qui aurait pu nous coûter cher, hurla-t-il. Si Bryce ne s'était pas rendu compte qu'il manquait un homme, les choses se seraient mal passées.

— De l'endroit où nous étions, on ne pouvait voir tout le convoi, expliqua Gilbert.

— De l'endroit où nous étions, nous, on voyait tout, intervint Bryce. Mais ce n'est pas moi qui me suis rendu compte qu'il manquait quelqu'un, c'est Robin !

— Alors, je te remercie, et je ravale ce que j'ai dit à Bryce, dit Ewart.

Il la regarda désormais avec moins de méfiance.

— Tu as l'instinct d'une sentinelle : nous avons fait une bonne acquisition ! s'exclama Gilbert en lui flanquant une telle claque dans le dos qu'il la laissa sans souffle.

— C'est vrai ! C'est elle aussi qui s'est réveillée en premier quand Mud nous a donné le signal, ajouta Bryce.

Robin se sentit très fière. Sans arc ni flèche, sans avoir utilisé sa fronde ni sa lance, elle avait eu l'impression de ne pas vraiment participer à l'action. Les louanges dont ils la couvraient lui faisaient voir les choses sous un autre angle. Le seul à ne pas y participer fut Will.

— Si vous avez terminé de dire des sottises, on doit s'organiser pour la chasse. Bryce avec moi, à l'ouest. Gilbert et Martin au sud. Ewart et Mud passent au Château prendre les pièges et vont au nord.

Le Blond fit signe à Bryce de le rejoindre et se mit en marche vers l'ouest.

Pour la énième fois, il avait ignoré Robin.

— Et moi, que dois-je faire, Will ? demanda-t-elle.

Il haussa les épaules et ne se retourna même pas. Bryce fit un clin d'œil à Robin comme pour l'encourager à être patiente.

— Je peux me joindre à… commença-t-elle, mais Will lui coupa la parole.

— Retourne au Château, fille ! Fabrique-toi un balai et fais le ménage, ordonna-t-il en poursuivant sa route.

Robin sentit une rage folle bouillonner en elle. Elle s'apprêtait à rétorquer, mais Mud la devança.

— Avant cela, elle va me donner un coup de main. Si on est trois pour poser les pièges, on terminera plus tôt et on aura plus de temps pour les relever ensuite.

— Et pour nous reposer, le soutint Ewart à sa manière.

La règle

En milieu de matinée, ils étaient déjà parvenus au pied d'une petite colline qui, selon Ewart, était le royaume enchanté du gibier. Une brise suave soufflait joyeusement, apportant avec elle des milliers d'odeurs que les animaux des bois savaient probablement reconnaître. Mud chantonnait tout en examinant le terrain pour poser le dernier des pièges qu'ils avaient récupérés au Château :

« Un lièvre à six pattes
Et un loup à trois queues
Un fauconneau sans bec
Et un cerf à six bois,
Un cochon tout propret
Dis-moi où ils sont passés. »

— Il fait toujours ça ? demanda Robin à Ewart.

— Chantonner ? Chaque fois qu'il pose un piège, qu'il en fabrique un, quand il réfléchit, quand il pêche, quand il observe quelque chose, quand il marche…

— J'ai compris ! dit Robin.

Ewart continua.

— Quand il n'arrive pas à dormir, quand il se réveille trop tôt et quand il pleut longtemps. Une fois les paillasses ont été infestées de puces, il a passé des heures à nettoyer le Château et il a chantonné tout le temps. Et aussi quand nous sommes allés à…

— Tu ne me croiras pas, mais j'ai saisi l'idée ! s'esclaffa Robin.

Ewart rit avec elle.

Il ne lui était peut-être pas si hostile que ça.

Mud termina sa tâche et leur fit signe de le suivre.

— On doit se rendre quelque part… le meilleur moment de notre petit tour, annonça-t-il d'un air mystérieux. (Et il précisa à l'adresse de Robin :) Je suis sûr que ça te plaira.

Il continua à chantonner et gravit rapidement la pente juste au-dessus de lui.

« Une chaussure sans semelle
Un mille-pattes sans pattes
Une maison sans toit
Une chambre sans lit
Un cochon bien propret
Dis-moi où ils sont passés ! »

Toujours en chantonnant, sans paraître ressentir la fatigue de l'escalade, il disparut entre les arbres.

— Je ne vais pas m'embêter à lui courir après. Vas-y, toi, si tu veux, marmonna Ewart à Robin.

Elle s'adapta au pas tranquille du garçon et se rendit compte à quel point il se déplaçait silencieusement.

— Alors c'est Mud, le spécialiste des pièges ? demanda-t-elle.

— Il les fabrique et les pose mieux que quiconque. Son père adoptif était braconnier, expliqua Ewart.

— Et toi ? Je t'avais surnommé Grand Maître de la Paresse, mais à présent je ne crois plus que tu ne sois qu'un spécialiste de l'oisiveté et des déplacements silencieux.

Ewart écarquilla les yeux.

— Grand Maître de la Paresse ? (Il réfléchit un instant. L'idée ne semblait pas lui déplaire.) Qu'est-ce qui t'a fait changer d'opinion ?

— La façon dont tu t'es débarrassé du type cette nuit.

Ewart haussa les épaules. Il resta quelques instants le regard dans le vague, comme perdu dans ses souvenirs. Le vent agita les branches des arbres autour d'eux.

— Quand j'avais six ans, reprit-il enfin, mes parents m'ont vendu à un monastère parce qu'ils étaient trop pauvres pour m'élever. J'y ai appris beaucoup de choses.

De l'unique personne du clan qui ne s'était pas exprimée en sa faveur lors du vote, Robin ne s'attendait certes pas à une telle confidence.

— Je suis désolée, souffla-t-elle.

— Pour mes parents ? Ils ne m'ont pas vendu par méchanceté. Nous étions six frères, la récolte avait été très mauvaise et ils ne pouvaient pas nous nourrir tous. Ils étaient convaincus qu'en me casant chez les moines ils m'assuraient une vie dans le luxe et l'aisance. Mais cette vie-là ne me plaisait pas à moi. Je devais être l'assistant de Henry, l'économe, et de Balgario, l'apothicaire. Le père Henry était antipathique et me sermonnait sans cesse. Si je le mettais en colère, il me donnait une claque. Pour chacun de ses sermons, je dérobais quelque chose, pour chaque claque, le double. Quand j'étais découvert, on m'envoyait au cachot. J'étais censé m'y repentir de mes vols, mais au lieu de cela, j'en projetais d'autres. Et à peine sorti, je les mettais à exécution. Pour éviter de me faire prendre, j'ai appris à me déplacer en silence.

Ewart rit pour lui-même, au souvenir de quelque chose d'apparemment très plaisant.

— À quoi pensais-tu donc ? lui demanda Robin.

Il eut un petit sourire amusé.

— Une fois, j'ai réussi à dérober les clefs de la dépense à père Henry. Il les portait toujours à la ceinture… pourtant, il ne s'en est pas aperçu… et c'est lui qui est allé au cachot. Les autres moines ont enfoncé la porte de crainte de rester le ventre vide.

Robin sourit. Ewart était vraiment étrange. Il lui avait d'abord semblé paresseux – à tort –, puis renfermé, énigmatique et distant. Or il avait suffi d'une simple question pour qu'il se mette à parler de lui. Ce qui, habituellement, était le fondement solide d'une amitié.

— Tout n'était pas si déplaisant, continua-t-il. Balgario, l'apothicaire, était sympathique. Au cachot, j'aurais dû jeûner, mais il me faisait toujours parvenir quelque chose de bon. Et il m'a appris un tas de choses. Il m'emmenait cueillir des herbes, on préparait de la bière et de l'hydromel. Un jour, il a été transféré. Une minute après son départ, je me suis échappé, et j'ai rencontré Will.

— Tu voulais être libre et tu as réussi.

— Presque. Will édicte parfois trop de règles…

— Par exemple ? Bryce y a fait allusion, sans préciser lesquelles.

— Il y en a des tas, mais celle qui me gêne le plus, c'est l'interdiction de sortir de la forêt.

Robin tressaillit. Ici, dans la forêt, elle n'aurait aucune possibilité de glaner des informations sur son frère et sur le Chevalier du Dragon.

— On ne peut… jamais sortir ?

— On peut le faire une fois par mois quand on se rend aux marchés, mais jamais dans la même ville. Moi, j'aimerais bien…

— Et tout le monde va au marché ? coupa Robin.

— Seulement deux du groupe, chacun à son tour. Tu as besoin de sortir ?

Robin acquiesça.

— Pour moi, c'est vital, mais vu comment Will me traite, je doute qu'il me choisisse pour le marché.

Ewart examina les alentours, sans rien changer à sa marche silencieuse, fixa ses pieds durant une dizaine de mètres, puis la regarda.

— De quoi as-tu besoin à l'extérieur ?

— D'informations.

Robin s'arrêta un instant pour réfléchir. Ewart ne l'avait pas accueillie aussi bien que les autres, il n'était pas comme Bryce et Mud, ni comme Gilbert et Martin. Mais elle décida quand même de lui faire confiance et lui décrivit le Chevalier du Dragon, pensant que si elle le trouvait, elle trouverait aussi Philip.

— Que se passe-t-il si quelqu'un sort de la forêt sans permission ? lui demanda-t-elle ensuite.

— Il est banni définitivement du clan. Cela s'est déjà produit… même si, en l'occurrence, il s'agissait d'un vol et peut-être de quelque chose de moins clair. Donc, si c'est moi qui sors, je chercherai les informations pour toi. Je crois que Bryce et Mud le feraient aussi. Comme les frères.

— Une chose m'échappe… Vous n'êtes pas toujours d'accord avec Will, mais vous le laissez décider des règles. Pourquoi ?

— Le clan, c'est lui et Robert, le garçon qui a été chassé, qui l'ont créé. On s'est tous unis à eux. Will a été écuyer, et ayant servi un chevalier, il sait comment se déplacer. C'est lui qui nous a appris les manœuvres d'encerclement qu'on utilise pour faire payer les péages. Ses règles sont parfois excessives, mais jusqu'à présent, elles nous ont permis de survivre.

La ballade de Mud
Un lièvre à six pattes
Et un loup à trois queues
Un fauconneau sans bec
Et un cerf à six bois,
Un cochon tout propret
Dis-moi où ils sont passés !
Une chaussure sans semelle
Un mille-pattes sans pattes
Une maison sans toit
Une chambre sans lit
Un cochon bien propret
Dis-moi où ils sont passés !

— Robin, vite ! Viens voir ! hurla Mud du sommet de la colline.

Robin et Ewart échangèrent un regard interrogateur. Ce dernier lui fit signe de se hâter et elle se mit à courir sur la pente pour rejoindre leur ami. Ils arrivèrent, hors d'haleine, mais dès que Robin vit ce que Mud voulait lui montrer, elle recouvra son souffle en un clin d'œil.

Au sommet de la colline se dressait l'if le plus majestueux qu'elle ait jamais vu. L'arbre idéal. Le bois qu'il lui fallait pour fabriquer un arc parfait.

Un nouvel arc

Robin y travailla durant des jours. Dans le bois de l'if, elle tailla un morceau aussi long qu'elle était haute. Elle le polit, créa les embouts et la poignée. Ce matin-là, assise sur un tronc dans la forêt, elle termina son travail. Elle ne pouvait y croire. Elle le tenait en main. Son nouvel arc. L'émotion la gagna en pensant à l'arc que lui avait fabriqué son père. Celui-ci, c'est elle qui l'avait fait, et il n'était pas aussi beau. Toutefois, elle avait suivi les enseignements de son père à chaque étape : dans cette nouvelle arme, il y avait aussi quelque chose de lui.

— Il est splendide, la félicita Mud.

Lui aussi s'était fabriqué un nouvel arc avec le bois de l'if.

Robin était fière du compliment. Elle aurait aimé l'essayer aussitôt, mais elle n'avait rien pour fabriquer la corde. Il lui aurait fallu du chanvre ou du lin à tresser et personne n'en possédait dans le clan. Personne sauf

Will, qui lui avait déjà clairement fait comprendre qu'il ne lui prêterait pas le moindre fil. Mud recycla son ancienne corde.

— On fabrique quelques flèches pour s'entraîner ? proposa-t-elle.

Mud acquiesça. Ils s'attelèrent à la tâche. Ils devraient acheter les flèches à pointe métallique ; il n'en restait pas plus de vingt dans le clan et on les gardait pour exiger le péage et pour se défendre.

Ils travaillèrent durant de longues heures, et Robin eut de nouveau l'impression que son père et sa mère étaient là avec elle. Ils avaient fabriqué des flèches ensemble tant de fois.

Le soleil était haut dans le ciel lorsque Bryce les rejoignit.

— Alors, vous avez terminé ?

— Tu ne devais pas rester près du foyer ? lui demanda Mud.

Le gamin était le Grand Cuisinier du clan, tous disaient, à juste titre, que nul ne savait cuire le gibier comme lui.

— Gilbert a pris la relève. Je devais absolument… (Il s'interrompit en regardant les nouveaux arcs.) Mon ami, je crois que lorsque j'aurai besoin d'une nouvelle arme, je demanderai à Robin de m'en faire une.

Le cœur de Robin se gonfla de fierté.

— Je suis vexé, plaisanta Mud. Qu'avais-tu à nous dire de si urgent ?

— Ah oui, tressaillit le gamin. J'ai une surprise pour elle…

Il se mit à fouiller dans les poches de sa tunique, pâlit.

— Mais où l'ai-je mise ?

Il s'interrompit et reprit ses recherches. Robin rit, s'attendant à une blague, puis Bryce tira une corde miteuse de sa poche.

— C'est la queue d'un rat mort il y a six cents ans ? le railla Mud.

— Que la langue t'en tombe ! C'était à Ewart, expliqua Bryce qui tendit la corde à Robin. Il ne l'utilise plus et il a dit que tu pouvais l'avoir.

Robin, émue, se leva d'un bond et voulut étreindre Bryce, qui recula en rougissant.

— Tu dois remercier Ewart, pas moi ! bredouilla-t-il. Et avant de te réjouir, tu ferais bien de l'essayer. C'est vrai qu'elle n'est pas en parfait état.

— Lui, je le remercierai plus tard. Toi, tu me l'as apportée, et je te remercie, dit Robin qui renonça à la serrer dans ses bras. En ce qui concerne l'essai… peut-on le faire tout de suite ?

Mud, Bryce et Robin se juchèrent chacun sur une pierre qui émergeait du barrage construit par le clan. Perchée sur la pierre plate au milieu du ruisseau, avec l'eau qui lui léchait les pieds, Robin était très émue. La nuit où elle avait perdu ses parents, son premier arc avait brûlé. Étrenner le nouveau lui donnait l'impression que sa vie recommençait. Ewart avait été choisi pour aller au marché avec Martin et il glanerait les informations dont elle avait besoin. Le moment d'accomplir sa promesse approchait. Il lui sembla que tout était possible : retrouver Philip, venger les siens, retrouver la paix.

— Commençons ! s'écria Mud.

Bryce tira le premier : la flèche partit, décrivit un arc de cercle au-dessus du ruisseau et termina sa trajectoire dans une gerbe d'eau.

— Les cent cinquante mètres habituels, commenta le gamin tandis que le courant entraînait la flèche jusqu'au barrage où elle serait récupérée. À toi, Mud !

Sourcil Fendu tira avec son nouvel arc et la vieille corde. La flèche dessina sa trajectoire dans le ciel et frappa un caillou qui émergeait avant de retomber dans l'eau. Un tir exceptionnel, et plus encore, si on considérait que c'était le premier qu'il effectuait avec cette arme.

— Presque deux cents mètres ! s'exclama Bryce. Cet arc est un chef-d'œuvre !

— Cela ne te vient pas à l'esprit que l'archer aussi a quelque chose à y voir ? marmonna Mud qui feignit d'être offensé par ces propos.

— Même pas en rêve. Si c'était moi qui l'avais en main, j'aurais fait deux fois mieux.

— Seulement ? gloussa Robin, car un tir de quatre cents mètres était impossible.

— Méfiante, hein ? s'amusa Bryce. C'est à ton tour, à présent ! Et si avec ce bout de corde tu tires plus loin que moi, je te porterai dans mes bras jusqu'au Château.

— Alors prépare-toi ! le provoqua Robin.

Elle leva son arc, tendit la corde effilochée de trois doigts ; le bois fléchissait de façon extraordinaire, sans vibrer, et opposait la résistance appropriée. Les conseils de Mud, et ceux que son père lui avait donnés au fil des ans, lui avaient permis de fabriquer un arc fantastique.

Robin inspira, mais au moment où elle décochait sa flèche, la corde se brisa et la flèche tomba par terre.

— Malédiction ! hurla Robin. Malédiction ! Malédiction !

Elle ramassa les deux lambeaux de corde et les lança sur la rive.

— Quelle guigne noire ! Misère de misère ! Saleté de corde à la noix ! Je donnerais de l'or pour un peu de chanvre ! se fâcha-t-elle.

Les deux amis la regardèrent, stupéfaits, puis Mud éclata de rire.

— Du calme ! On trouvera le moyen de t'en fabriquer une autre…

Bryce détacha la corde de son arc.

— Nos armes ont la même longueur. Essaie avec la mienne.

Robin s'efforça de retrouver son sang-froid. La corde qui se cassait lui avait paru un horrible présage : un bref instant, elle s'était dit qu'elle ne retrouverait ni Philip ni le Chevalier du Dragon.

Mais la bouffée de colère qui l'avait submergée s'envola quand elle sentit dans sa main la corde de lin tressé que lui avait tendue son ami.

Elle la monta sur son arc.

— Si tu tires plus loin que moi à présent, oublie que je dois te porter jusqu'au Château, marmonna le gamin.

Robin reprit sa position.

Elle leva l'arc et tira la corde de trois doigts. Mieux que la queue de rat d'Ewart, mais loin de valoir celles que son père et elle confectionnaient avec les cheveux de sa mère. Elle-même avait laissé poussé les siens dans l'espoir qu'un jour ils deviendraient comme ceux de sa mère et serviraient pour les arcs de Philip et de son père. La main qui tendait l'arc appuyée entre l'oreille et la mâchoire, elle tira.

La corde tint bon, la flèche fusa vers le ciel, vola jusqu'au sommet de sa trajectoire, puis s'inclina vers le sol. Elle dépassa tout juste les cent quatre-vingts mètres et acheva sa course dans le cours d'eau, comme les autres.

— Bien ! se réjouit Robin.

Mud la regarda avec respect.

— Tu n'as pas seulement l'étoffe d'une sentinelle, tu as aussi celle d'un archer.

Elle sourit. Sa nouvelle vie commençait pour de bon.

Après une série satisfaisante de tirs, Mud et Robin décrochèrent les cordes des arcs pour qu'ils ne prennent pas la courbure, et ils retournèrent au Château. Ils y parvinrent à la tombée du jour. Bryce s'affairait autour de la marmite d'où montaient d'appétissants fumets de gibier.

— Vous arrivez au bon moment ! les salua le gamin. J'ai besoin de quelques herbes supplémentaires, vous pourriez vous occuper de la marmite ? demanda-t-il tout en y jetant une poignée de châtaignes.

— Juste pour cette fois ! plaisanta Robin.

Elle rendit sa corde à Bryce et se mit à remuer la soupe pendant qu'il disparaissait dans les bois et que Mud pénétrait dans le Château.

Peu après, Martin, Gilbert et Ewart revinrent. Martin avait un panier empli de perdrix et un œil au beurre noir, certainement un hommage de Gilbert.

— On a un nouveau cuistot ? s'exclama Martin Yeux Bleus. J'ai hâte de goûter ton… qu'y a-t-il dans la marmite ?

Robin rit.

— Je ne peux pas te le dire avec précision ! Un mélange de viandes, je crois…

— Que diable es-tu en train de faire, fille ? tonna Will en sortant de derrière le marronnier.

Tranchés net

— Je donne juste un coup de main à Bryce, répondit Robin. Il est allé chercher des herbes.

— Qu'il ne te vienne pas à l'esprit de prendre sa place, rétorqua Will d'un ton sec.

— Ce n'était pas mon intention. Si ça t'ennuie, j'arrête, fit Robin tout en s'efforçant de contrôler la colère qui bouillonnait dans sa poitrine.

— Surtout pas ! Si tu arrêtes de mélanger, ce sera infect ! s'écria Bryce qui revenait dans la clairière. Et toi, Will, ne t'en mêle pas. Si je demande à Robin de m'aider et qu'elle le fait, tu n'as rien à y redire.

— À la réflexion, Robin est une fille, peut-être qu'elle sait cuisiner, intervint Martin. Est-ce le cas, Robin ?

Will ne lui donna pas le temps de répondre.

— Une fille ne pourrait jamais cuisiner comme Bryce !

Le gamin gloussa de façon étrange.

— Tu pourrais essayer toi aussi, avec un peu de bonne volonté, fit-il avec un petit sourire ironique.

— Moi, je dois m'occuper de choses plus importantes, décréta le Blond.

Bryce, fâché, prit la cuillère des mains de Robin et marcha vers Will avec l'air de vouloir le jeter lui aussi dans la marmite.

— Encore une réflexion de ce genre et ce soir tu restes le ventre vide, comme ça tu apprendras à quel point ce que je fais est important, s'emporta-t-il en agitant la grande cuillère sous son nez.

Will leva les mains en signe de paix.

— Si je ne le savais pas, je n'insisterais pas pour que ce soit toi qui t'en occupes, dit-il, tentant de l'amadouer.

Bryce changea aussitôt d'expression et arbora un sourire angélique ; il ne lui manquait plus qu'une auréole au-dessus de la tête.

— Mais un coup de main ne serait pas pour me déplaire… Robin pourrait m'aider au moins ? demanda-t-il.

Un sourire angélique et une langue de vipère.

— À ta guise, accepta Will, du moment que c'est toi qui cuisines.

Puis il leur tourna le dos et se dirigea vers le Château.

Bryce fit un clin d'œil à Robin qui le regardait, admirative.

— Pardon, mais je ne t'ai même pas demandé si tu veux bien m'aider.

— Tu plaisantes ? Je viens tout juste d'être promue marmiton. Ce n'est pas le rôle le plus indispensable dans le groupe, mais c'est un beau pas en avant ! Je vais chercher l'eau ? proposa-t-elle.

— De l'hydromel. Ce soir, c'est la fête !

Ils mangèrent, burent et rirent. Même Will semblait détendu. Ils jouèrent aux dés, mais tous se tinrent à bonne distance des dés d'Ewart que l'on savait truqués. Le gibier de Bryce se révéla un pur délice, l'hydromel coula à flots, et une bagarre éclata entre Martin et Gilbert qui convoitaient le même morceau de viande. Que Mud mangea tandis qu'ils se tapaient dessus et que les autres s'esclaffaient. Une fois couvert de bleus, comme à son habitude, Martin se mit à faire des cabrioles dignes d'un saltimbanque et entraîna Robin dans une danse farfelue. Pour lui ravir Robin, Gilbert lui décocha un coup de poing, et les deux frères recommencèrent à se battre. Entre leur première et leur seconde bagarre, le baril d'hydromel se vida, et Ewart en fit apparaître un autre. Lorsque la lune illumina la clairière, Mud se leva. La tradition voulait que les archers brûlent leurs anciennes armes. Pour le vieil arc de Mud, l'heure avait sonné.

— C'est le moment de t'envoyer en enfer, dit-il en l'empoignant.

Martin et Gilbert cessèrent de se flanquer des coups, Ewart d'avaler de l'hydromel ; Bryce et Will lâchèrent leurs écuelles de bois. Le silence tomba dans la clairière et se fit encore plus intense quand Mud leva son vieil arc au-dessus du foyer et le laissa choir entre les flammes. En le voyant brûler, Robin eut un pincement au cœur. C'était avec cet arc qu'elle avait fait mouche et réussi le coup de la mèche, qu'elle avait senti la présence de son père.

On n'entendit plus que les craquements et les crépitements des flammes qui mordaient le bois, jusqu'à ce que l'arc soit réduit en cendres et en fumée.

— Je veux aussi brûler ce qui reste de ma vieille corde, murmura Ewart d'un air songeur. Peut-être arriverons-nous à mettre un terme à la malédiction. Robin, tu l'as encore ?

Elle acquiesça, alla chercher les deux morceaux de corde effilochée et les lui tendit.

— Quelle malédiction ? lui demanda-t-elle.

— Nos cordes durent toujours trop peu, marmonna Ewart.

Il se saisit des deux morceaux et les lança dans les flammes.

Des étincelles s'envolèrent du foyer.

— Il n'y a aucune malédiction, fit Robin. Vous ne les renforcez pas assez, voilà tout. Les cordes de mon père duraient plus longtemps que toutes les autres parce qu'on y ajoutait de la colle et les cheveux de ma mère, qui étaient épais et robustes.

« Et magnifiques », pensa-t-elle.

En un clin d'œil, Martin fut près d'elle, s'assit à sa droite et fit courir la main entre ses cheveux.

— Et toi, tu n'aurais pas hérité quelque chose d'elle ?

Un autre clin d'œil et Gilbert s'assit à sa gauche et attrapa une de ses mèches.

— Et *par hasard*… est-ce que *par hasard*, ces cheveux longs ne t'embêteraient pas ?

— Mes amis, si je vous donnais une mèche à chacun… j'aurais le crâne déplum…

— Que les mains vous en tombent ! Et toi, Robin, n'écoute pas ces deux vauriens, coupa Bryce.

Mais Robin remarqua l'expression de Will. Il la regardait comme si elle était une égoïste qui s'était jointe au clan pour vivre à leurs crochets, sans être disposée à donner quoi que ce soit en échange. « Que pouvez-vous attendre d'une fille ? » disait ce regard. Elle détourna les yeux.

— Ça marche aussi avec les crins de cheval ? demanda Ewart en essayant maladroitement de la tirer d'embarras.

— Je l'ignore… lui répondit-elle avec un sourire reconnaissant. (Elle prit le couteau de Bryce.) Cela étant, je ne vois pas beaucoup de chevaux par ici ! ajouta-t-elle en fixant Will.

Elle adorait ses cheveux, si semblables à ceux de sa mère. Les tresser chaque matin était un des meilleurs moments de sa vie. Sa vie précédente.

Sans quitter Will du regard, elle porta le couteau à ses cheveux et commença à se les trancher. À un autre moment, cela lui aurait déplu, mais en cet instant, cela lui donna un regain d'énergie qui la surprit.

— Hé, mais elle le fait vraiment ! s'exclama Martin.

Robin finit de couper une mèche épaisse et la lui donna. Elle en tendit bientôt une deuxième à Gilbert, une troisième à Bryce, une quatrième à Ewart, la cinquième à Mud. Tous la remercièrent, mais Robin guettait la réaction de Will : assis par terre, il était muet. Tenant toujours le couteau, elle s'approcha de lui. Elle coupa une dernière mèche et la laissa tomber dans sa paume sans un mot. Mais on lisait clairement l'accusation dans ses yeux : « Tu vois bien que tu te trompais ?! »

— Tu as fait un beau geste… fit Bryce.

— Oui, vraiment, murmura Ewart en soupesant la mèche qu'elle lui avait donnée.

— Et je ne pourrai pas recommencer avant un bon bout de temps, dit Robin en se passant la main entre ses cheveux courts. Alors prenez-en soin.

Il lui restait une dernière mèche de cheveux longs sur la nuque. Elle en fit une petite tresse et retourna s'asseoir entre les deux frères. Martin observait la mèche qu'il avait reçue d'un air fâché.

— Qu'est-ce qui ne va pas ? lui demanda-t-elle.

— Je suis désolé de te le dire dans un moment pareil… c'est embarrassant… après ce que tu as fait mais… tes cheveux… sont pleins de… poux…

Robin se leva d'un bond, portant les mains à sa tête, et regarda autour d'elle à la recherche d'eau limpide. Martin éclata de rire.

— Tu m'as cru, hein ?

Robin lui donna une bourrade digne de celles de Gilbert, se mit à rire elle aussi, et les autres à sa suite.

L'ambiance redevint joyeuse. Seul Will resta muet, la mèche de Robin au creux de sa main.

Le lendemain matin, Robin arrangea la corde sur l'arc de Mud en utilisant la mèche de cheveux qu'elle lui avait donnée. Ils se rendirent au nord pour poser des pièges, mais avant de commencer, il essaya son arme. Et en fut ravi.

— Incroyable ! Il marche beaucoup mieux comme ça ! s'exclama-t-il dès le premier tir.

Robin fut de nouveau emplie de fierté – pour son père, pour s'être rendue utile auprès de garçons qui lui avaient toujours semblé bien meilleurs qu'elle. Ce jour-là, Mud lui apprit à reconnaître les traces de divers animaux, lui expliqua comment poser les pièges et se déplacer à reculons pour ne pas laisser d'empreintes. Il lui montra les endroits de la forêt que les autres et lui utilisaient comme points de rencontre en cas de besoin : un tronc fendu en deux, mais encore debout, et un rocher en forme de souris qui lui sembla la version géante de Lupus, la petite souris qui dormait avec elle à Wellfield. Quand ils revinrent avec leurs paniers pleins, les autres n'étaient pas encore de retour. Robin entra au Château et, au beau milieu de sa paillasse qu'elle avait installée devant celle de Bryce, elle le vit.

Traces blanches

La veille seulement, Robin avait crié qu'elle donnerait de l'or pour quelques fils de chanvre. Et un écheveau entier se trouvait sur sa paillasse.

Elle était aux anges ! À présent, elle allait pouvoir fabriquer une véritable corde pour son arc. Seule ombre au tableau : cela l'ennuyait de ne pas savoir qui le lui avait offert.

Elle le prit et le montra à Mud.

— Sais-tu qui l'a déposé ?

Mud secoua la tête d'un air pensif.

— À ma connaissance, seul Will en a, mais le sien est plus foncé.

— Qui que ce soit, il aurait pu me l'offrir en personne. Je ne comprends pas pourquoi il a agi ainsi… Cela ne me déplairait pas de le remercier. C'est un cadeau de prix.

Mud tressaillit, et elle s'en aperçut.

— Peut-être n'est-ce pas seulement un présent… réfléchit le garçon. Peut-être quelqu'un essaie-t-il de te faire comprendre quelque chose qu'il n'a pas le courage de te dire ouvertement…

— Pourquoi donc ? s'étonna Robin, puis en voyant l'expression de son ami, elle comprit. Oh, murmura-t-elle, tu sais qui… ?

— Qui est toujours de ton côté et t'a voulue dans le clan dès qu'il t'a vue ?

Bryce. Le nom leur vint à tous deux, mais ni l'un ni l'autre ne le prononça.

Robin se sentait embarrassée ; elle avait de l'affection pour le gamin comme elle en avait pour Philip. De l'affection, rien d'autre. Mud le comprit.

— Tâche de ne pas le faire souffrir, dit-il.

Robin acquiesça.

Blesser Bryce était la dernière chose qu'elle désirait. Cependant, elle ne comprenait pas comment elle avait pu ne pas se rendre compte de quoi que ce soit. Certes, Bryce et elle étaient particulièrement complices, néanmoins elle n'avait pas l'impression qu'une étincelle spéciale brillait dans ses yeux. Cela dit, elle n'était pas non plus une experte en ce domaine.

Wellfield brûlait. Son père courait vers elle, le visage empreint de terreur. La flèche l'arrêtait net. Le Chevalier du Dragon levait son épée pour lui assener le coup de grâce. La chevelure de sa mère était en flammes. Une flèche à l'empennage rouge lui transperçait la poitrine. Hurlements.

Robin se réveilla comme chaque nuit à l'heure même où l'incendie avait dévoré Wellfield. Depuis, elle n'arrivait plus à dormir profondément, comme si elle était toujours sur ses gardes. Ce que les autres appelaient son instinct de sentinelle n'était qu'un mélange de peur et de souffrance. Elle ne parvint pas à se rendormir, et cela ne l'inquiéta pas. C'était fréquent. Durant l'une de ces veilles forcées, elle avait fabriqué la corde pour son arc en utilisant sa dernière mèche de cheveux et le chanvre de l'écheveau. Elle sortait souvent pour s'entraîner. Ses aptitudes d'archer s'amélioraient, ce qui serait indispensable pour affronter le Chevalier du Dragon, sauver Philip et venger ses parents. Sauf qu'aucune information ne lui parvenait. Ewart et Martin s'étaient rendus au marché de Doncaster et n'avaient rien découvert. À la pleine lune suivante, Gilbert et Bryce étaient allés à celui de Pontefract, et n'en avaient pas appris davantage. Elle espérait que tout irait mieux la fois suivante. Parfois, avant de sortir, elle s'efforçait de se rendre utile : elle éclatait des châtaignes pour Bryce, réparait des ustensiles cassés, raccommodait des vêtements déchirés ; d'autres fois encore, elle trouvait des passe-temps amusants comme quand elle avait organisé un tournoi de ronflements et que Gilbert avait remporté la palme. Parfois, Will s'absentait en dehors de son tour de garde. Robin ignorait où il allait et ne tenait pas à le savoir. Elle voulait juste sortir et s'entraîner avec son arc.

Tout à coup, quelque chose lui parut différent. Une étrange odeur et un froid piquant pénétrèrent dans le Château. Elle se leva, tout en restant emmitouflée dans la peau de bête que Bryce lui avait donnée. Elle prit son arc, une poignée de flèches, et sortit.

À peine fut-elle dehors que l'odeur qui l'avait frappée se révéla dans toute sa splendeur. La neige. La clairière étincelait au clair de lune. Le foyer, la souche de l'arbre et les rochers étaient tapissés d'un manteau blanc, ainsi que les ronciers et les branches des arbres. Tout était plongé dans un silence absolu, irréel, merveilleux. Elle s'attarda, admirant le spectacle, et perçut soudain une note discordante. Elle eut l'impression qu'elle n'était plus seule, comme le jour où elle s'était enfoncée dans la forêt, avant de rencontrer Will, Mud et Bryce.

— Qui est là ? cria-t-elle en encochant une flèche.

Seul le silence lui répondit.

— Qui est là ? cria-t-elle de nouveau.

Le craquement d'une brindille qui se brise résonna tel un roulement de tonnerre dans le silence environnant. Robin banda son arc et avança dans cette direction.

— Je t'ai entendu, montre-toi !

Un bruissement lui confirma qu'il y avait bien quelqu'un. Robin fit encore quelques pas, dépassa le marronnier centenaire et un groupe de buissons. Et les vit. Des empreintes. Nettes. Quelqu'un s'était tenu à cet endroit il y avait à peine un instant.

— Que se passe-t-il ?

C'était la voix de Will qui venait apparemment de sortir du Château, réveillé par ses cris.

— Un intrus, mais il est parti. Par ici ! déclara Robin qui tâchait en vain de distinguer des mouvements entre les branches.

En un éclair, Will, Mud et Martin la rejoignirent, leurs armes à la main. Robin désigna les traces dans la neige.

Will s'accroupit, soupira et maugréa.

— Si cela se reproduit, tire avant de crier. À présent, retournons dormir, s'écria-t-il, irrité.

Robin comprit qu'il avait identifié les traces. Et l'envia. Ce garçon avait une manière vraiment singulière de contempler le monde et la forêt. Il voyait un chêne et le jugeait digne de devenir un poste d'observation. Il voyait des traces et savait dire à qui elles appartenaient. Il savait lire la forêt mieux que quiconque. Elle aurait aimé apprendre à la connaître comme lui. Dorénavant, elle examinerait tout ce qui l'entourait avec les yeux du chef de leur clan. Elle se reprit. Tout, sauf les personnes.

— Zut ! Will se trompe ! Ce sont les empreintes du Dragon Medurel… on ne peut pas les ignorer, annonça Martin d'un ton dramatique.

Robin lui lança un coup d'œil ironique.

— Même toi tu ne me crois plus ? insista-t-il.

— Je n'ai jamais entendu parler de dragons chaussés de bottes, sourit-elle.

— C'est vraiment trop gros, hein ?

Robin sourit, Martin fit une grimace déçue et suivit Will qui s'en retournait déjà vers le Château.

— Toi aussi, tu sais qui était là ? demanda Robin à Mud.

Il acquiesça.

— Je crois qu'il s'agit de Robert.

— Celui qui a été chassé du clan ? se souvint Robin.

— Oui, mais je ne comprends pas ce qu'il veut. Il a déjà dérobé tous les objets précieux que nous avions.

— Ewart y a fait allusion.

— On comptait sur ces affaires pour changer de vie, et peut-être nous installer en ville. On avait des tas de projets. Will rêvait de s'acheter une épée et un cheval et de devenir chevalier. Ewart aurait pu ouvrir une échoppe d'épicier ou d'apothicaire, et Martin et Gilbert l'auberge de leurs rêves. Bryce et moi, on aurait pu travailler avec eux ou bien rester ici. Puis Robert a tout volé : le calice et la croix en argent, la cotte de mailles et une dizaine de coupes en marqueterie. Tous nos rêves se sont envolés en fumée.

— Mais combien valaient ces objets ? Rien que pour s'acheter un bon cheval, il faut un tas d'argent ! s'étonna Robin.

— Will aurait commencé comme écuyer… il l'a déjà fait. Devenir chevalier aurait exigé des années, mais si l'auberge et la boutique avaient bien marché…

— En somme, Robert vous a tous trahis.

— Oui, grommela-t-il. Je n'en ai pas dormi pendant plusieurs nuits. Je ne le croyais pas du genre à nous poignarder dans le dos. Personne ne s'y attendait. Et pourtant, c'est ce qui est arrivé. On s'entraîne ? ajouta-t-il en changeant de ton. Tirs multiples ?

— Toujours prête, répondit Robin.

Un remerciement inattendu

L'hiver semblait ne jamais vouloir finir ; on aurait dit que toute chaleur avait déserté le monde. Même Martin et Gilbert avaient cessé de se taper dessus pour économiser leurs forces. Au Château, la température était agréable depuis que Bryce avait découvert qu'il pouvait allumer un feu. La fumée était aspirée dans une fissure du plafond qui fonctionnait comme une cheminée. Toutefois, le gel n'était pas le seul problème. Les réserves de jambon de sanglier étaient au plus bas, aucun chariot ne passait auquel demander un droit de péage, et la nature ne leur offrait presque plus rien. L'hydromel touchait à sa fin, et celui qu'Ewart avait préparé quelque temps auparavant était bien loin d'être prêt.

— Espérons que Mud et Ewart ont réussi à conclure de bonnes affaires au marché ! Mais ils n'avaient pas beaucoup de shillings, murmura Bryce en attisant le feu.

— Oui… répondit Robin.

Elle avait hâte que les garçons soient de retour. Ils étaient partis depuis trois jours et lui avaient promis de se renseigner à propos de son frère et du chevalier. Ewart avait l'intention de contacter un certain ami qui savait toujours tout sur tous. Elle le sentait : cette fois, elle allait avoir des nouvelles.

— Siéa néuipaonpuaconluuaffè nouomm ruié, fit Martin de dessous la peau de loup dans laquelle il s'était emmitouflé.

Ce matin, il avait l'air de ne pas vouloir se lever.

— Si tu ne sors pas de là-dessous, je doute que quelqu'un réussisse à te comprendre, dit Robin.

La tête du garçon émergea à peine.

— Je disais : si Ewart ne réussit pas non plus à conclure une affaire, nous sommes ruinés. Et si ces deux-là ne reviennent pas tout de suite avec quelque chose à manger, moi je passe l'arme à gauche. Dans ce cas, je veux que ce soit Robin qui prononce mon oraison funèbre.

— Alors je dirai que ce sont tes propres plaintes qui t'ont tué ! Et que…

Robin s'interrompit en voyant Will et Gilbert qui rentraient de leur tour de garde : ils étaient blêmes et gelés.

— Aujourd'hui, c'est encore pire que d'habitude, grommela le Blond.

Il posa son arc et battit des mains pour se réchauffer.

— Voulez-vous de l'hydromel ? demanda Robin.

— Tout ce qui reste, plaisanta Gilbert.

— Merci, dit Will.

Robin et Bryce échangèrent un regard, effarés. Soit un démon avait pris possession de Will, soit le froid lui avait gelé la cervelle. Il l'avait remerciée et ne l'avait pas appelée « fille ». Elle versa le liquide ambré dans les écuelles, les tendit aux garçons qui l'avalèrent d'un trait.

— On se sent mieux, murmura Will, satisfait.

Robin décida que le moment était bien choisi.

— Quand tu seras prêt à ressortir, je voudrais te montrer quelque chose, lui dit-elle gentiment.

— Je suis toujours prêt, répliqua-t-il d'un ton sec.

— Bien, je t'attends dehors.

Elle prit son arc, deux flèches, un petit ballot et se dirigea vers la sortie.

Robin était déjà prête lorsque Bryce, Gilbert et Will sortirent du Château. Elle avait à la main son arc et une flèche, l'autre était à terre, plantée dans la neige, près de son pied. Le gamin lui fit un clin d'œil encourageant.

— Eh bien… qu'est-ce donc que je dois v… ? commença Will.

Puis il remarqua que, sur la souche, au centre de la clairière, se trouvait un petit bout de chandelle. Allumé.

— Franchement ! ironisa-t-il en croisant les bras sur son torse. Tu ne te surestimerais pas par hasard, fille ?

Il était antipathique, mais ne partait pas. Robin, sans lui répondre, encocha sa flèche, leva son arc et ferma les yeux. La forêt s'évanouit, le sol se volatilisa, les garçons s'effacèrent. Elle-même disparut. Quand elle rouvrit les yeux, tout ce qui restait du monde, c'était la pointe de sa flèche, la petite flamme et sa respiration. Suivant son rythme, Robin banda son arc et tira.

Un sifflement.

La flèche toucha la mèche et éteignit la chandelle sans la briser.

Le monde réapparut, et ce que vit Robin tout d'abord fut l'expression de Will. Indéchiffrable. Gilbert était bouche bée. Les yeux de Bryce scintillaient d'une joie explosive contenue à grand-peine.

— Tu saurais le refaire ? demanda le Blond.

Il n'ajouta pas « fille » et son ton n'était plus celui qu'il avait utilisé le jour où elle avait intégré le clan. Ce jour-là, il avait été glacial, comme s'il voulait dire : « Je sais que tu ne peux pas. » À présent, il semblait plus conciliant.

Robin ne prononça pas une parole. D'un geste, elle demanda à Bryce de rallumer la mèche. Lorsque la flamme réapparut, elle ramassa sa deuxième flèche. Elle banda son arc, visa, le monde disparut.

Deuxième tir. Deuxième sifflement. Cible touchée une deuxième fois.

La mèche était éteinte.

— Bon sang ! s'exclama Gilbert, admiratif.

N'importe qui aurait été admiratif devant deux tirs consécutifs aussi bien réussis. Mais Will était Will.

— Ce tir n'est qu'une fanfaronnade, tu sais ? Cela requiert juste de bien viser et n'a rien à voir avec l'habileté et le sang-froid dont on a besoin quand il y a un adversaire devant nous.

Bryce leva les yeux au ciel. Il prit son souffle avec l'air de vouloir chanter au Blond sa Grande Ballade de l'Insulte, mais Robin l'arrêta d'un geste.

— Tu as raison. Je voulais seulement te montrer que maintenant je le fais vraiment, dit-elle sans baisser la tête ni détourner les yeux de ceux de Will.

Ils s'affrontèrent du regard. Celui de Robin ne soulignait que l'évidence, le fait qu'elle était un archer assez doué pour ne pas rater le coup de la mèche ; celui de Will était scrutateur et pensif.

— Ce soir tu monteras la garde avec Gilbert, lui dit-il d'un ton sec.

— Elle a du talent et tu la punis ? s'étonna Nez Aquilin.

— Pour moi, pas de problème, déclara Robin d'un ton calme, essayant de dissimuler son contentement.

Cette concession de la part de Will était beaucoup plus qu'elle n'avait espéré, et puis elle avait des tas de choses à apprendre grâce aux tours de garde.

Le Blond regagna le Château en compagnie de Gilbert. Bryce et Robin restèrent immobiles. Quand ils furent certains d'être seuls, ils se précipitèrent l'un vers l'autre.

Robin
Avant que Robin
ne voie le jour, son père
voulait la nommer
Bartholomew ou Allie,
sa mère Peter ou Elinor.
Mais dès que Philip la vit,
il décida que Robin lui irait
comme un gant.

— Je le savais ! Je savais qu'il céderait ! Tu as été formidable.

Robin voulut étreindre le gamin, mais il se déroba et lui donna une série de tapes amicales dans le dos. Il s'apprêtait à lui dire quelque chose quand une étrange mélopée brisa le silence de la neige.

Le doute

« Une flèche sans pointe
Et un arc sans corde
Un jambon sans os
Et une pomme sans chair
Un cochon tout propret
Dis-moi où ils sont passés ! »

C'était la voix de Mud. Ewart et lui revenaient du marché. Robin se sentit terriblement optimiste. Le jour où Will l'avait autorisée à monter la garde, rien ne pouvait aller de travers.

— Allons à leur rencontre, proposa-t-elle à Bryce.

Le gamin acquiesça et ils se mirent en route, pieds et jambes s'enfonçant dans la neige, sans qu'ils prêtent attention à leurs vêtements trempés.

La mélopée se rapprochait.

« Un oiseau sans bec
Et un champ sans graines
Un couteau sans lame
Et un feu sans flammes
Un cochon tout propret
Dis-moi où ils sont passés ! »

— Mud ! cria Robin. Mud !

Mud et Ewart débouchèrent de derrière un chêne, chacun tenant deux sacs.

Les yeux de Robin croisèrent ceux de Mud. Ils étaient tristes. Le garçon secoua la tête. Il n'y avait pas de nouvelles.

— On a posé plein de questions, encore et encore, murmura Ewart, embarrassé. Même cet ami dont je t'ai parlé ne savait rien. J'ai aussi tenté d'acheter des informations, mais… je suis désolé.

Robin avait le cœur lourd.

— D'accord, murmura-t-elle d'une voix éteinte.

— Aujourd'hui les choses se sont bien passées avec Will, fit Bryce qui se voulait encourageant. Au prochain marché, ça se passera bien pour le reste.

Robin l'entendit à peine. Elle ne sentait que le froid mordant qui enveloppait toute chose et qui, jusqu'à il y a un instant, lui avait semblé insignifiant. Elle rentra au Château et se glissa sous la peau de loup. Sa déception était à la mesure de ses espoirs. Il valait peut-être mieux qu'elle abandonne le groupe et se mette à la recherche de son frère, mais elle n'avait aucun indice qui lui indique où aller. Peut-être n'aurait-elle jamais dû s'unir au clan, peut-être aurait-elle dû suivre les cavaliers qui avaient emmené Philip. Non. Ils étaient à cheval et l'auraient vite semée. Et s'ils l'avaient trouvée… eh bien… à ce moment-là elle n'était ni forte, ni sûre d'elle, ni habile comme à présent, elle n'aurait rien obtenu et se serait peut-être fait stupidement tuer. De toute façon, les choses s'étaient déroulées autrement. Inutile de ruminer là-dessus.

À la pensée qu'il était peut-être déjà trop tard pour Philip, elle frissonna.

— Non ! souffla-t-elle en se redressant d'un bond sur son lit.

Cette idée était inacceptable.

Tant qu'elle n'aurait pas la preuve que Philip était mort, elle devait le considérer comme vivant. Mais son esprit lui représenta le Chevalier du Dragon qui le transperçait de son épée. Elle secoua la tête pour chasser cette image et s'emmitoufla de nouveau dans la peau de loup, à la recherche de souvenirs heureux.

Il n'y avait pas de lumière, pas d'air, aucune différence entre le jour et la nuit. Dans la pièce où il se trouvait, si on pouvait l'appeler ainsi, l'espace manquait. Il ne pouvait se déplacer de plus de trois pas en long et en large, ne pouvait s'allonger pour dormir, juste se recroqueviller en biais. Il n'y avait pas de fenêtre, pas le moindre indice sur l'endroit où il était. La seule lumière qu'il percevait était le flambeau de l'homme d'armes. Celui-ci lui apportait à manger de temps à autre et passait la nourriture entre les barreaux de la grille qui séparait sa cellule du sombre couloir. Cela n'arrivait pas souvent et l'homme ne lui adressait jamais la parole. Philip avait perdu la notion du temps. Il ignorait depuis quand il se trouvait là et pour quelle raison.

— Tu es Philip, fils d'Ellen et de Matthew de Wellfield, chuchota-t-il.

Il essaya de le répéter plus fort.

— Tu es Philip, fils d'Ellen et de Matthew de Wellfield, frère de Robin.

Un autre murmure, plus faible que le premier.

Il se tâta les bras ; ils ne les reconnut pas tant ils étaient devenus maigres. Il s'efforça de rester debout encore un peu. C'était la seule manière de ne pas se sentir complètement vaincu.

Finalement, il se recroquevilla par terre, épuisé et glacé. Une nourriture insuffisante, aucune lumière, aucun ami. Depuis la nuit de l'attaque où sa famille avait été massacrée et où son monde s'était écroulé, chaque minute était pire que la précédente.

Le bruit de la clef qui tourne dans la serrure de la porte au fond du couloir annonça l'arrivée de sa pitance. La même scène se répéta pour la énième fois dans le silence le plus total. Au fond du couloir, l'huis grinça en s'ouvrant et un vague rai de lumière filtra de l'extérieur. Le gardien franchit la porte, l'écuelle dans une main, le flambeau dans l'autre. Il fit vingt-trois pas, arriva à la cellule, passa l'écuelle entre les barreaux. Sans une parole, il attendit que Philip engloutisse cette infâme bouillie. Philip lui rendit l'écuelle. L'homme d'armes fit demi-tour, encore vingt-trois pas, et Philip replongea dans les ténèbres.

Quelque chose la frappa et elle se réveilla en sursaut. Le visage de Gilbert se trouvait tout près du sien.

— C'est l'heure. C'est à notre tour, dit-il en souriant, et il lui tendit un morceau de pain odorant.

Elle le prit et se leva.

— Avez-vous déjà soupé ? demanda-t-elle.

— Copieusement, même, répondit Ewart depuis le seuil de la grotte.

— Copieusement, non. Nous sommes à peine rassasiés… et dans les temps à venir, ce sera encore pire, gémit Martin qui exagérait comme à son habitude.

— Ne te plains pas, rétorqua Mud. On a eu quelques provisions au marché.

— Mais ce n'est pas suffisant pour tous et pour un mois ! C'est un désastre et finalement… (il fit une pause tragique) nous mourrons de faim.

— On ira à la chasse, riposta Will.

— Si ça te tente, j'ai mis ta ration de soupe de côté, dit Bryce à Robin.

— Au retour. Elle doit y aller à présent, ordonna Will d'un ton sévère.

Robin termina son pain et enfila une des peaux tannées réservées à ceux qui montaient la garde en hiver, tandis que Gilbert endossait l'autre. Elle ramassa son arc et y monta la corde.

— Prête ? lui demanda Gilbert.

Robin acquiesça, prit arc, carquois et flèches, et se dirigea vers le seuil de la grotte. Alors qu'elle passait près de Bryce, elle sentit qu'il glissait furtivement quelque chose dans sa poche. Un morceau de viande encore tiède qui lui sembla encore plus chaud quand ils se retrouvèrent à l'extérieur. Dans la matinée, le froid avait été intense, mais en ce moment il était aussi mordant qu'une lame.

— Si tu n'avais pas fait voir ce tir à Will, tu aurais pu t'épargner ce supplice ! gloussa Gilbert qui tapait ses mains l'une contre l'autre pour les réchauffer.

— C'est vrai... je n'ai peut-être pas fait une aussi bonne affaire, dit Robin, entrant dans son jeu. Explique-moi, que faites-vous d'habitude ?

— On fait des rondes autour du Château : la première ensemble du sud au nord, jusqu'à l'arbre fendu par la foudre. Si tout va bien, on revient séparément, on élargit le cercle et on se retrouve au point de départ. Une autre ronde à deux un peu plus longue, une autre séparément toujours en élargissant le cercle et ainsi de suite. Tu te rappelles les signaux d'alarme ?

— Oui, répondit-elle.

Ils se mirent en route. Leurs respirations créaient de petits nuages blancs et denses qui se dissipaient dans l'air. La lune illuminait la forêt endormie.

— Espérons qu'un beau convoi de riches marchands passera par ici, soupira Gilbert. Je ne me souviens pas d'un hiver aussi rude.

Robin examinait les alentours. Dans la forêt silencieuse et immobile, on n'entendait que le bruit de leurs pas qui s'enfonçaient dans la neige. Seul le rythme soutenu de leur marche les aidait à accumuler de la chaleur. Une fois accomplie la première ronde, Gilbert s'arrêta, prit la gourde de peau qui pendait à sa ceinture, but une gorgée d'hydromel et la passa à Robin.

— C'est tout ce que nous aurons cette nuit. En des jours meilleurs, on en avait une par personne, mais maintenant…

— On se contentera de ce qu'on a, répondit Robin, et elle en avala une gorgée.

— Cela ira si on se sépare ? Comme c'est ta première garde, on pourrait…

— Ce n'est pas la peine… je vais par là, dit Robin, et elle s'éloigna.

Gilbert avait été gentil, mais sa phrase lui avait déplu. Il semblait sous-entendre qu'elle ne pouvait pas être de garde seule. Bah… peut-être que Nez Aquilin aurait dit la même chose à n'importe qui et qu'elle était juste de très mauvaise humeur. Tout en marchant, Robin réfléchit de nouveau à l'idée de quitter le clan. Elle s'efforça de raisonner avec lucidité, malgré le froid, et sans cesser d'observer les alentours à l'affût du moindre signe de danger.

Elle pensa aux motifs qui la poussaient à partir : plus elle s'attarderait au Château, plus il lui serait difficile de retrouver Philip et le Chevalier du Dragon. Avec une seule sortie par mois, il était fort peu probable qu'elle obtienne des renseignements qui lui permettraient d'honorer son serment.

Elle énuméra les motifs qui la retenaient : elle n'était pas sûre d'être tout à fait prête pour affronter le chevalier. Tout perfectionnement de sa part augmenterait ses chances de le battre, et elle ne progresserait que si elle restait avec le clan. Elle avait encore beaucoup à apprendre de tous et, admit-elle à contrecœur, surtout de Will. Et si l'hiver était la pire saison pour voyager seule, cet hiver-ci l'était encore plus. En partant, elle devrait laisser Bryce et Mud qui lui manqueraient terriblement, comme Ewart et les frères. Mais il y avait aussi un autre motif, presque inavouable : la forêt. Elle s'y sentait chez elle et l'aimait à la folie. Entre les bêtes et les arbres, la vie était dure mais magnifique.

Robin ne savait que décider.

Un son sur sa droite la fit se retourner brusquement ; elle encocha sa flèche et la pointa vers la source du bruit. Elle vit un tas de neige sur le sol… qui venait sûrement de tomber.

Encore quelques pas et elle déboucha dans une clairière : deux yeux la fixaient dans l'obscurité. Un loup.

Une flèche dans la nuit

Lorsqu'elle était entrée dans la forêt, l'idée de se retrouver seule face à un loup l'avait terrifiée. À l'époque, elle aurait tiré sur-le-champ de peur d'être attaquée. Au lieu de cela, elle observa l'animal : il était squelettique. Lui aussi souffrait de l'hiver. Il ne l'observait pas comme une proie, mais comme s'il évaluait le danger. Il aurait dû se trouver avec sa meute, mais il était seul. L'arc dressé et la flèche pointée vers lui, elle resta immobile. Puis, tout en tenant l'arme et la flèche d'une main, elle glissa l'autre dans la poche où se trouvait le morceau de viande que lui avait donné Bryce. Elle s'en saisit, le sortit lentement et, rapide comme l'éclair, elle le lança au loup qui recula en grondant. Mais l'odeur tiède lui parvint aux narines. Il lança un regard soupçonneux à Robin, puis d'un mouvement très vif, planta ses crocs dans la viande, fit un bond de côté et disparut entre les arbres. Robin sourit, se retourna en entendant de nouveau un bruit derrière elle.

Un autre paquet de neige glissait du faîte d'un arbre, entraînant dans sa chute la neige qui se trouvait sur les branches du dessous. Robin termina sa ronde, attentive à l'éventuelle présence d'autres membres de la meute. Elle n'en rencontra aucun.

Elle retrouva Gilbert à l'endroit convenu, ils burent une gorgée d'hydromel chacun, firent leur deuxième ronde ensemble et une autre séparément, puis une autre, une autre et encore une autre et se retrouvèrent au ruisseau.

— Cette dernière ronde est la plus ennuyeuse et la plus longue, lui expliqua Gilbert. Tu dois arriver au Chêne Pelé, ensuite dépasser le tumulus et aller au nord-est jusqu'au Rocher de la Souris Géante. Tu t'en souviens ?

— J'y suis allée avec Mud, acquiesça Robin.

— À ce moment-là, tu seras à mi-chemin. Marche encore deux cents mètres : tu apercevras un petit lac gelé et un ruisseau. Suis le ruisseau jusqu'à la Clairière aux Renards et ensuite, tu reviens par ici. Si tu devais donner l'alarme entre le tumulus et la Clairière aux Renards, je ne t'entendrais pas et tu devrais revenir sur tes pas en courant. Une dernière goutte ?

— Volontiers.

Robin but et se mit en route. Elle parvint au Chêne Pelé. Et éprouva de nouveau l'étrange sensation de ne pas être seule, comme la nuit où elle s'était unie au clan et la fois où le fameux Robert s'était approché du Château.

— Qui est là ? cria-t-elle.

Aucune réponse.

Elle encocha sa flèche et poursuivit son chemin, se tenant prête à tirer. Elle dépassa le tumulus et redoubla d'attention. À partir d'ici, Gilbert ne pourrait plus l'entendre. Elle vit le Rocher de la Souris Géante. La sensation qu'elle n'était pas seule ne la quittait pas. Elle accéléra l'allure, puis s'arrêta brusquement pour prendre à l'improviste son éventuel poursuivant ; mais elle n'entendit rien. Quelques secondes plus tard, de la neige dégringola encore d'une branche. Robin pointa son arc dans cette direction.

— Montre-toi, cela vaut mieux pour toi !

Aucune réponse.

Robin resta sur ses gardes.

Elle continua lentement et parvint au petit lac. La surface en était gelée. La lune, haute dans le ciel, l'illuminait, y allumant mille reflets. Si elle n'avait pas senti cette présence, la vue lui aurait paru magnifique.

Un sifflement brisa le silence de la nuit.

Puis un impact : une flèche à la pointe métallique se planta dans la glace au milieu du lac. Robin tourna son arc vers la source du tir, mais ne vit personne, ni sur le sol ni entre les branches des arbres.

— Tu es un bien piètre tireur si tu me manques de si loin, hurla-t-elle en reculant à la recherche d'une cible.

Pour toute réponse, un deuxième sifflement fendit la nuit. Un deuxième impact. La deuxième flèche s'encastra à moins d'un pouce de la première. Qui que ce soit, c'était la fine fleur des archers : s'il l'avait manquée, c'était délibéré.

— Trouve-moi, Robin ! retentit une voix qu'elle ne connaissait pas.

En revanche, son propriétaire savait qui elle était.

Flèche encochée et arc bandé, Robin se dirigea vers la voix. Elle évita de traverser le petit lac gelé ; elle ignorait l'épaisseur de la couche de glace et elle n'avait aucune intention de la tester.

Elle avança de vingt mètres sans rien trouver. Puis elle baissa les yeux et les vit. Des empreintes identiques à celles que Will avait identifiées comme appartenant au traître du clan.

— Robert ! Que veux-tu ? cria-t-elle.

— Trouve-moi ! répondit une voix grave qui provenait du feuillage touffu sur sa droite.

Robin se dit qu'elle ferait mieux de reprendre sa ronde ou de retourner en arrière envoyer un signal à Gilbert. Pourtant, elle suivit la voix.

Elle avança jusqu'à ce que l'air piquant de la glace laisse la place à une délicieuse odeur de gibier rôti. Elle fit encore quelques pas et il lui sembla percevoir le crépitement d'un feu au-delà des arbres. Elle les dépassa et parvint à un fossé gigantesque, protégé par les racines d'un arbre qui formaient un abri, s'enfonçant dans la terre de chaque côté. Cet arbre avait l'air d'un géant avec de longues jambes au-dessus d'un trou. Plusieurs peaux, étendues sur les racines, formaient une sorte de tente qui protégeait la fosse, d'où montaient de la lumière et de la fumée.

Robin s'approcha et baissa les yeux. Un garçon vêtu d'une peau de cerf et d'un capuchon lui tournait le dos, penché sur le feu.

— Je commençais à me dire que tu n'y arriverais jamais. Tu as faim ? demanda-t-il.

— Tu m'as attirée ici pour m'offrir à manger ?

— Pas seulement, répondit le garçon en détachant la broche du foyer. Entre.

Robin estima qu'elle n'était pas en danger, ôta sa flèche de la corde, la replaça dans son carquois et se glissa à l'intérieur, l'arc à la main. Il faisait chaud dans la cavité, et la terre était tapissée de peaux, sauf là où était le feu. Une installation ingénieuse.

Elle s'approcha du garçon et il se retourna.

Le cœur de Robin s'emballa et sa respiration s'arrêta un instant. Une étrange chaleur embrasa ses joues. Robert était très beau. Elle dut faire un effort pour se souvenir qu'il s'agissait d'un traître.

Robert lui adressa un sourire amical qui allait de pair avec l'expression de ses grands yeux bleus.

« Rien de tel qu'un visage d'ange pour dissimuler une âme corrompue », pensa-t-elle.

Il lui indiqua l'une des peaux.

— Tu peux t'asseoir.

« Et gentil, en plus… pensa encore Robin. L'idéal pour te poignarder dès que tu as le dos tourné. »

Mais elle s'assit.

Robert
On dit que sa mère
était originaire d'un
pays lointain et mystérieux.
Certains sont convaincus
que c'était une
enchanteresse, d'autres
une voleuse.
Quelques-uns
murmurent qu'elle était
la parente d'un roi
étranger. Robert est
au courant de toutes
les rumeurs qui circulent,
mais n'en confirme
ni n'en dément aucune.

— Tiens, dit le garçon en lui tendant une cuisse rôtie. Cela te va bien, les cheveux courts.

— Je mange avec ceux de mon clan, d'habitude, se récria Robin, irritée par sa remarque.

— Et cette nuit tu manges avec moi. Et si tu penses que tu ne veux rien accepter de moi… c'est trop tard. Tu l'as déjà fait ! rit-il en laissant la phrase en suspens.

Robin le considéra d'un air perplexe et il lui indiqua son arc.

— Ta corde de chanvre… l'écheveau que tu as trouvé sur ta paillasse… et la farine de seigle…

Robin écarquilla les yeux… Ce n'était pas possible… elle était convaincue que Bryce… et pourtant elle avait bien l'impression que le gamin n'était pas amoureux d'elle… Puis la note discordante arriva à son cerveau.

— Je n'ai pas trouvé de farine.

Il eut l'air ennuyé.

— Ah… se contenta-t-il de dire en agitant la cuisse sous son nez. Peu importe. Tu as trouvé et utilisé le chanvre. Si tu ne me crois pas, vérifie la corde de mon arc… elle est identique à la tienne.

Robin vérifia. Il ne mentait pas.

— Pourquoi ces présents ? Et pourquoi es-tu revenu la nuit où tu m'as laissé le chanvre ? demanda-t-elle.

Robert secoua la tête.

— Mange avec moi et je te raconterai tout.

Mensonges

La curiosité l'emporta. Et puis elle avait faim, et même si le rôti ne valait pas ceux de Bryce, il était chaud.

— D'accord, dit-elle en prenant la cuisse qu'il tenait toujours.

Elle y goûta et se rendit compte que mis à part le morceau de pain de Gilbert, elle n'avait rien avalé depuis le matin.

— Je mange, dit-elle après la première bouchée. On a conclu un pacte, tu me dois des réponses.

Robert sourit.

— Je t'ai vue le jour où tu es arrivée dans la forêt et je t'ai suivie un bout de chemin. Pendant que je t'étudiais, Will et les autres t'ont interceptée. Disons que tu m'intrigues. Et si je suis revenu après t'avoir laissé le chanvre, c'était juste pour vérifier tes progrès à l'arc. Tu progresses vite.

Robin n'en croyait pas ses oreilles.

— Tu offres des présents à tous ceux qui t'intriguent ?

Il sembla réfléchir.

— Oui, à eux aussi.

— Pourtant, je n'ai pas l'impression que tu aies tout ce qu'il faut toi-même, le provoqua Robin en examinant l'abri.

Le garçon eut un petit rire.

— Je ne suis pas les règles de Will. Je n'ai pas un seul refuge hyper-protégé, mais plusieurs, et non protégés, je ne me tue pas à monter la garde, je me déplace comme je veux et quand je veux, je sors de la forêt, je vais en ville, je me promène dans la campagne, je rencontre des gens et je leur parle. Je vis libre.

Robin avait le cerveau en ébullition : « Je me déplace comme je veux… Je vais en ville, je rencontre des gens. » Le garçon pouvait peut-être l'aider à rechercher Philip et le Chevalier du Dragon.

— C'est vrai que tu as volé le clan ? lui demanda-t-elle à brûle-pourpoint.

Robert ne parut pas particulièrement gêné par la question.

— Oui, répondit-il, sans manifester le moindre sentiment de culpabilité ni le moindre remords.

— Tu es un voleur ?

— Pas plus que vous.

Robin n'avançait pas d'un pouce vers le sujet qui l'intéressait.

— Tu accepterais de me rendre un service ? osa-t-elle en réfléchissant à la meilleure façon de formuler sa requête.

— Si tu m'en rends un en échange, répliqua-t-il.

— D'accord, répondit-elle impulsivement.

Tout en craignant d'avoir commis une sottise, elle lui tendit la main.

Il la serra.

Ils restèrent ainsi quelques secondes de trop à se regarder dans les yeux, puis Robin se rendit compte que son cœur s'accélérait et que le souffle lui manquait. Elle libéra sa main.

— Dis-moi ce que tu veux, déclara Robert.

— Je cherche un chevalier qui monte un grand étalon bai avec un caparaçon vert sur lequel est dessiné un dragon rouge. Il porte un heaume court et utilise des flèches à l'empennage rouge.

— Très bien. Quand je le croiserai, je te le ferai savoir.

— À toi, maintenant, dit Robin.

Il l'examina un instant comme pour évaluer ses capacités.

— À proximité du Château, il doit y avoir une cachette avec le trésor du clan. Trouve-la, prends le calice et apporte-le-moi.

Robin sentit la colère l'embraser.

— Ce n'est pas drôle, siffla-t-elle entre ses dents serrées. Tu as déjà dérobé le calice et le reste. Si tu ne veux pas respecter ta parole, il suffit de le dire.

L'expression qui se peignit sur le visage de Robert était un mélange de stupeur et de méfiance. Le charme qui s'était créé entre eux se brisa. Pour la première fois, il baissa les yeux.

— Je comprends.

Il y eut un moment de silence. Robin pensa qu'elle avait fait une erreur en se laissant attirer ici ; elle se leva et prit son arc.

— Je m'en vais.

Robert resta assis, le regard fixé sur les flammes.

— Notre pacte tient toujours. Le calice en échange des renseignements. Mais dans deux lunes, je n'en aurai plus besoin.

Robin courait. En regardant la lune, elle se rendit compte de tout le temps qu'elle avait perdu. Elle ne pouvait pas aller à la Clairière aux Renards et retourner sur ses pas en un laps de temps crédible. Lorsqu'elle parvint au lac gelé, elle descendit aussitôt vers le point de rencontre avec Gilbert, en espérant qu'aucun danger et qu'aucun convoi ne viendraient de la zone qu'elle avait négligé d'inspecter.

Peu avant l'aube, elle rejoignit son compagnon qui l'attendait.

— Enfin ! s'exclama-t-il quand il la vit. Tu t'étais perdue ?

— J'ai eu un peu de mal à m'y retrouver au retour, mentit-elle.

Et elle se détesta. Mentir à Gilbert, qui avait toujours été gentil, n'était pas juste. Ce Robert avait un côté terriblement mauvais si, juste après l'avoir rencontré, elle commençait déjà à raconter des histoires.

Elle rentra au Château en bavardant avec Gilbert ; pourtant, un sentiment de culpabilité l'oppressait.

Bryce, Mud et Ewart l'accueillirent en fanfare. Bryce avait réchauffé la soupe pour elle comme pour Gilbert ; Martin lui avait fabriqué une sorte de couronne avec des branches sèches, et même Will, à sa manière, lui souhaita la bienvenue en lui réclamant un rapport exactement comme à Nez Aquilin.

Robin évita toute allusion à Robert.

— Martin, Bryce et Ewart, à la chasse avec moi ! décréta le Blond à la fin.

Tous quatre se préparèrent et sortirent. Gilbert se jeta sur sa paillasse et s'endormit aussitôt.

— Je te réveille quand le soleil sera haut ? Comme ça on pourrait continuer les tirs multiples, proposa Mud à Robin.

— Plus vite je les apprends, mieux c'est. Vas-y. Je vais m'allonger un moment et je te rejoins, répondit-elle en s'asseyant sur sa couche.

Mais à peine Mud était-il sorti qu'elle s'écroula.

Elle dormit mal, se réveilla sans cesse : l'image qu'elle s'était faite de Robert le traître ne collait pas avec le garçon qu'elle avait rencontré. Dans le clan, tous étaient convaincus qu'il était un voleur, mais lui n'avait admis le vol qu'en partie.

Pourquoi ?

Robin avait l'impression qu'il ne l'avait invitée que pour lui demander de dérober le fameux calice ; mais pourquoi demander quelque chose qu'il possédait déjà, quand il était évident qu'elle était disposée à tout pour obtenir des renseignements ? Et finalement, il avait dit que leur pacte tenait toujours.

Dans quel sens ? Que voulait-il, au juste ?

Frapper Will et l'utiliser, elle, pour semer la zizanie dans le groupe qui l'avait exclu ? Pour la mettre de son côté ?

Robin en conclut que le garçon n'avait aucune intention de trouver le Chevalier du Dragon. Ce qui la ramenait au point de départ. Quitter le clan semblait la seule option possible.

Elle se rendormit.

Lady Berniece

Le bruit de la clef qui tourne dans la serrure de la porte au fond du couloir annonça à Philip l'arrivée de sa pitance. La même scène allait se répéter dans le silence le plus absolu. La porte s'ouvrit en grinçant. La lumière frappa le sol de pierre. L'homme entra, le flambeau à la main. Mais il s'arrêta. Ses vingt-trois pas ne retentirent pas. Des voix. Le silence. Encore des voix. Indistinctes.

Un deuxième homme, beaucoup plus imposant que le premier et armé, entra dans le corridor. Aucun des deux ne semblait porter une écuelle. Philip fut saisi de crainte. Deux hommes au lieu d'un, une épée au lieu d'une écuelle. S'ils tentaient de le tuer, il se battrait. Il essaierait, tout au moins. Il ne voulait pas mourir comme un cafard.

Trois pas et les deux hommes s'immobilisèrent ; le premier levait haut le flambeau, comme s'il voulait illuminer les moindres recoins du couloir. Une troisième silhouette franchit la porte : Philip ne put la distinguer, car les deux autres la dissimulaient. L'homme au flambeau se tourna vers la cellule et montra le chemin. Philip se leva, pris de sueurs froides.

La troisième silhouette était celle d'une femme. Grande, osseuse, elle portait un luxueux manteau à la capuche bordée de fourrure. Son allure majestueuse trahissait son arrogance. Sa robe de laine et de soie azur bruissait à chacun de ses pas. Une noble dame, assurément, et Philip se demanda ce qu'elle faisait en ces lieux. Il avait toujours imaginé ce genre de femme cloîtrée dans son château à broder d'un air angélique. Sauf que celle-ci n'avait rien d'angélique, et les deux hommes qui la précédaient se comportaient comme s'ils la craignaient. Quand tous trois arrivèrent devant la grille, Philip vit son visage : des sourcils arqués soulignaient le noir de ses yeux glacials et cruels. De ses lèvres sortit un ordre péremptoire.

— Montrez-le-moi !

L'homme armé se saisit d'un trousseau de clefs, ouvrit la cellule, entra et fit approcher l'autre.

— Milady, je vous implore... risqua Philip.

— Silence ! tonna l'homme armé.

Et il lui décocha un coup de pied si violent au creux de l'estomac que Philip se plia en deux.

— Son visage. Montre-moi son visage, ordonna la femme en s'approchant.

Avec une poigne de fer, l'homme d'armes agrippa la nuque et le front de Philip et lui renversa la tête en arrière. Se penchant, la femme le scruta, eut une

Lady Berniece

La ballade de la diablesse

Que me vienne une rage de dents
Que me prennent les tourments
Que par la peste je sois frappé,
Et par la lèpre rongé.
Rate dilatée, ventre bouffi
Je veux aussi un foie grossi.
Mais oh ne me faites pas voir
Le brasier de ses yeux noirs
Ceux de cette sombre diablesse
Qui détruit l'allégresse.

Bien que les ménestrels de Shelford chantent souvent cette ballade, aucun d'entre eux n'a jamais osé révéler l'identité de la diablesse.

grimace de dégoût et un mouvement de recul. Elle se redressa, sortit un mouchoir de soie blanche de sa robe, le plaqua sur son nez et sa bouche, et étudia de nouveau Philip.

— Nettoyez-le, lança-t-elle.

L'homme d'armes lui frotta le visage avec la manche de sa tunique, et Philip eut l'impression que la femme cherchait quelque chose dans ses yeux et sur son front. Elle l'observa longuement, puis fit courir la lame d'un poignard orné de pierres précieuses sur les sourcils du garçon qui fut pris de tremblements.

Philip n'oublierait jamais le regard qu'eut ensuite la noble dame. L'air irrité, elle essuya le poignard avec son mouchoir et regarda l'homme d'armes.

— Ce n'est pas lui. Découvrez ce qu'est devenu le médaillon et comment il l'a eu. Nous ne tolérerons plus la moindre erreur.

— À vos ordres, lady Berniece.

— Le médaillon ? s'exclama Philip. Milady, je l'ai trouv…

Un autre coup de pied de l'homme d'armes l'atteignit au nez ; Philip sentit ses jambes se dérober et s'écroula à terre.

— Comment oses-tu adresser la parole à Sa Grâce !

Une boue insidieuse avait remplacé la neige. Il n'en restait que quelques amas glacés çà et là. Le gel ne lâchait pas prise. Toutefois, la chasse avait été plus que bonne. Près d'un épais bois de bouleaux, Bryce et Mud trinquèrent en levant leurs outres pleines d'eau,

Gilbert et Martin aussi, mais pas Will. Malgré les paniers pleins, il trouvait à redire sur tout.

— Détends-toi ! Ce soir on dînera comme des rois ! s'exclama Bryce.

Will réagit en bandant son arc et Robin en fit de même.

Bryce écarquilla les yeux.

— Mais qu'est-ce qui vous prend… ?

— Chhhhtt… murmura Robin qui se trouvait près de lui. Il y a quelqu'un.

— Soyez prêts à tuer ! ordonna Will.

En un éclair, tous les six pointèrent leurs flèches vers le bois. Ils se dispersèrent en éventail et le vent leur apporta des voix fluettes. Les intrus, manifestement, ne cherchaient pas à se cacher.

L'attente ne fut pas longue. Les voix se transformèrent en rires cristallins, enfantins. Robin et Bryce se regardèrent et baissèrent leurs arcs.

— C'est peut-être un piège, souffla Will. Levez vos armes !

En soupirant, Bryce obéit. Robin, qui s'apprêtait à l'imiter, resta clouée sur place en voyant qui sortait des feuillages.

C'était Robert. Un frisson lui descendit le long du dos. Pour autant qu'elle le sache, depuis qu'il en avait été exclu, il n'avait plus de rapports avec le clan. Elle ne se serait jamais attendue à le revoir en compagnie de tous les autres. Il lui lança un regard fugace, qui lui transmit un message sans équivoque : « Je suis là pour toi. » Robin frissonna de nouveau.

Le forgeron

— Ce n'est pas ton secteur, hurla Will qui visait le nouvel arrivant et lui lança un regard incendiaire. Tu ne peux pas venir ici.

Robert avait son arc sur le dos, les flèches dans son carquois, un couteau à la ceinture, et ne semblait pas avoir la moindre intention de les utiliser.

— Je pensais que je pouvais faire une exception pour cette fois, sourit-il d'un air angélique.

— Les règles ne souffrent pas d'exceptions, décréta Will.

— Parfois si, sourit encore Robert et il se retourna vers les bouleaux. Henry ! Martha ! Venez faire la connaissance de mes amis, s'écria-t-il.

— Nous ne sommes pas tes am… commença le Blond.

Mais il s'interrompit quand deux enfants surgirent de derrière un arbre. Le garçon devait avoir environ huit ans, sa sœur, moins. Ils portaient des habits sales et en loques, mais leurs visages étaient guillerets. Bryce sourit et baissa son arme.

— Bienvenue ! leur cria Martin. (Il mit l'arc dans son dos, s'approcha de la fillette et fit une profonde révérence.) Ravi de faire ta connaissance, jeune fille ! Je suis Martin, à ton service, dit-il avec son habituelle et comique expression de séducteur.

Gilbert lâcha son arme, attrapa son frère par son maillot et le poussa en arrière.

— Ne te laisse pas impressionner par mon indigne parent, dit-il à Martha. Si tu as besoin d'un chevalier, me voilà ! Je suis Gilbert, pour te servir.

La petite rougit, et Robin, qui reconnaissait la scène, rit avec Bryce.

— Vous deux, bouclez-la ! gronda Will.

— Pourquoi le blond veut-il tirer une flèche sur toi ? demanda Henry à Robert.

— Pour te montrer qu'il est doué. Et il l'est ! répondit-il.

— Emmène-les et disparais ! s'emporta Will sans baisser son arc.

Il s'énerva encore davantage quand deux autres personnes émergèrent d'entre les arbres : un homme chauve, vêtu de guenilles comme les enfants, probablement le père, et un énorme gaillard à l'air peu éveillé, sans doute le fils aîné. Ils portaient de grands sacs sur le dos et l'homme avait des outils à sa ceinture.

— Je m'appelle Richard et voici mes enfants. Nous ne voulons pas vous déranger, dit-il. Nous venons de Shelford…

Robert décocha un long regard à Robin comme pour souligner que le nom de la ville était important. Son cœur s'accéléra.

— Nous essayions de rejoindre Pontefract, mais nous nous sommes égarés. Robert nous donne un coup de main pour retrouver la route, continua l'homme.

— Si vous voulez passer par ici, c'est dix shillings par personne, répliqua Will d'une voix dure.

Richard pâlit.

— Nous ne disposons pas d'une telle somme ! Je vous le jure ! Et nous ne pouvons pas rebrousser chemin.

— Pourquoi ? demanda Robin, en espérant comprendre le message de Robert qui, d'un autre coup d'œil, lui communiqua qu'elle était sur la bonne voie.

— À Shelford… notre présence n'est plus… souhaitée.

— Ce n'est pas mon problème, gronda Will. Celui qui ne paie pas ne passe pas. La forêt est grande. Allez ailleurs. Je regrette si Robert vous a fait croire que les choses se dérouleraient autrement, mais la faute est entièrement sienne. (Il fit une pause, examinant les sacs qu'ils portaient tous deux.) Mais, reprit-il, presque ennuyé, si vous me montrez ce que vous avez, peut-être trouverons-nous un accord.

Richard ôta le sac de son dos et l'ouvrit, puis fit signe à son fils aîné qui en fit de même. Des chiffons, des couvertures élimées, des bouts de métal, une plaque qui devait avoir appartenu à une armure, une petite enclume, une casserole noircie. À côté de ce pauvre bric-à-brac, les possessions du clan semblaient appartenir à des châtelains.

— Vous n'avez rien à échanger, commenta sèchement le Blond. Partez.

Mud s'approcha de Will et lui murmura :

— Il a de jeunes enfants.

— Raison de plus pour ne pas les emmener dans la forêt ! rétorqua le Blond, contrarié par le fait que tous soient contre lui et le démontrent ouvertement.

Richard pencha la tête, abattu, et Robin jeta un coup d'œil à ses outils, tandis que Gilbert et Martin faisaient rire les enfants pour détourner leur attention.

— Tu es forgeron ? lui demanda-t-elle.

Il acquiesça.

Robert lui lança un regard interrogateur, qu'elle ignora.

— C'est une grande chance pour nous, dit-elle à Will.

Il la regarda, perplexe ; sans lui donner le temps de réfléchir, elle se tourna vers le forgeron.

— Vous ne pouvez pas payer, mais vous êtes sur notre territoire. Par conséquent, vous êtes nos prisonniers, continua Robin qui se retourna vers le Blond comme pour quêter son approbation.

Will ne bougea pas, il ne s'attendait pas à trouver un appui auprès d'elle.

— Pour reconquérir la liberté, poursuivit Robin, vous devrez nous apprendre à forger des pointes de flèche. Quand au moins deux d'entre nous sauront les fabriquer correctement, vous irez où vous voudrez.

— Excellente idée, Robin ! s'écria Bryce. Si on les fait nous-mêmes, on dépensera moins d'argent au marché, on chassera plus efficacement et on sera plus forts.

Richard se tourna vers Will, dans l'expectative ; il avait compris que c'était lui le chef. Le Blond serra les mâchoires et réfléchit.

— Tu l'as bien dressée, la petite peste, remarqua Robert.

En son for intérieur, Robin exulta. Grâce à l'opposition de son ancien compagnon, Will aurait sans aucun doute envie de lui donner raison.

— Mais toi, tu dois partir tout de suite, clama Will.

— Je ne demande que ça, sourit Robert.

Il salua le forgeron et son fils aîné tandis que Gilbert et Martin prenaient les enfants dans leurs bras.

— Formidable ! hurla Nez Aquilin en soulevant Henry et en lui faisant des chatouilles. Je n'ai jamais eu de prisonnier de toute ma vie. Tu veux bien être mon prisonnier ?

— Non, c'est toi qui dois être le mien, riposta le gamin.

— D'accord, mais, de grâce, je t'en conjure : ne me fais pas de mal ! plaisanta Gilbert.

Martin jucha Martha sur ses épaules. Robert la salua d'une chiquenaude et passa délibérément près de Will qui dut reculer. Puis il attrapa Robin par la taille en une drôle d'étreinte et la poussa en arrière sur quelques mètres. En la serrant contre lui, il approcha son visage du sien.

— Moi, j'ai tenu parole. À ton tour, maintenant, lui chuchota-t-il à l'oreille.

— Lâche-la tout de suite ! cria Bryce.

Robin le repoussa en rougissant, et se rappela que Will tirait sur la corde de son arc, prêt à lâcher sa flèche sur Robert.

— Va-t'en !

La douleur de Richard

Ils étaient tous rassemblés devant le Château, autour du feu. Will avait l'air content. Richard le forgeron et sa famille avaient été traités davantage comme des hôtes que comme des captifs. Bryce s'était mis aux fourneaux, utilisant tout le gibier de la journée, ce qui les condamnait à retourner chasser dès le lendemain. Les deux frères s'étaient transformés en bouffons pour amuser les enfants, puis les avaient couchés. Martin leur avait cédé sa paillasse. Gilbert avait offert la sienne à Alfred, le fils aîné, robuste et d'un naturel paisible, qui avait bavardé avec Ewart jusqu'au moment de dormir.

Le forgeron ne cessait de les remercier pour leur accueil, et tous ces « Merci », « Je suis votre débiteur » ne faisaient qu'augmenter l'irritation du Blond. Mud usait de toute sa diplomatie pour l'apaiser.

Robin attendait que les autres s'intéressent moins au forgeron. Elle avait hâte de pouvoir lui parler calmement, sans être gênée par Will et l'atmosphère de tension qu'il traînait derrière lui.

— Que feras-tu à Pontefract ? demanda Ewart tout en sirotant de l'hydromel.

— Je recommencerai à travailler comme forgeron, et si Dieu le veut, comme maréchal-ferrant aussi.

— Apprends-nous ce que tu as promis, au lieu de jacasser pour ne rien dire, cracha Will.

Richard posa l'os qu'il était en train de ronger et se leva.

— Bien, dit-il.

— Ici tout le monde ! hurla Will.

Les jeunes du clan s'approchèrent. Ewart resta assis où il était.

— Mais seuls deux d'entre nous devaient apprendre, se plaignit-il.

— Tous, insista Will.

Ewart se leva et, lentement, en soupirant, se plaça près des autres.

Le forgeron vérifia les flammes du foyer d'un long regard, alla chercher un de ses sacs, d'où il sortit un paquet qu'il déroula. Il renfermait du charbon de bois de bonne qualité, dont il versa une poignée dans le feu. Il le laissa chauffer au rouge en le remuant de temps en temps. Dans l'autre sac, il prit un chiffon, une petite enclume et un tuyau métallique de presque un mètre de long.

— La pointe de la flèche naîtra de ceci ! dit-il en l'agitant devant l'assistance.

— J'ai vraiment envie de voir ça, marmonna Ewart, incrédule.

Le forgeron posa toutes ses affaires près du foyer, remplit d'eau et de paille un seau de bois qui appartenait au clan, et préleva un marteau et une pince à sa ceinture. Puis il retourna le charbon incandescent.

— C'est prêt, dit-il tandis que tous l'observaient en silence.

Il glissa le tube dans le charbon et attendit que l'une des extrémités soit chauffée au rouge. Il l'en ressortit, tenant l'extrémité moins chaude de sa main enveloppée dans le chiffon, et appuya la partie incandescente sur l'enclume. Il commença à la battre avec le marteau. Sous ses coups, le bout du tube se transforma en un disque. L'homme le chauffa encore dans le charbon de bois pour que le métal reste suffisamment souple pour être travaillé.

— Cela ne ressemble pas à une pointe de flèche, commenta Martin.

— Patience, répliqua le forgeron.

Il battit de nouveau les côtés du disque, les courba et rapprocha les deux bords l'un de l'autre. En le réchauffant de temps à autre, il continua de courber le cercle pour lui donner la forme d'une petite jupe. Chauffa de nouveau le métal et martela le tube pour l'amincir. À ce stade, il le découpa et la petite jupe se détacha. Il s'en saisit à l'aide de la pince, l'inséra dans le charbon, et dès qu'elle redevint incandescente, la martela encore pour en peaufiner la forme.

— La voilà, votre pointe de flèche ! s'écria-t-il enfin en la plongeant dans le seau d'eau.

— À présent, oui, cela y ressemble, confirma Martin.

— Quelqu'un veut essayer ? demanda Richard.

— Moi ! Tout de suite ! s'exclama Martin.

Durant le processus, tous avaient été fascinés par la magie du métal qui prenait forme, et à peine Martin s'était-il exprimé que les autres aussi se proposèrent. Même Ewart. Will, en revanche, leur tourna le dos et alla se coucher.

Martin fabriqua sa pointe, et également Mud, Bryce et Ewart. La nuit se faisait plus sombre et plus froide, mais personne ne semblait y prêter attention. Ils avaient tous envie d'apprendre.

Tandis que Gilbert s'affairait avec le charbon de bois et les pinces, guidé par les conseils de ceux qui avaient déjà essayé, Richard alla s'asseoir sur une pierre au fond de la clairière. Depuis que Will était parti, il semblait moins tendu et un lourd voile de fatigue vieillissait ses traits. Robin lui apporta une écuelle pleine de bouillon.

— Si tu restes loin du feu, cela te fera du bien, sourit-elle en la lui tendant.

Le forgeron l'examina longuement.

— Merci. Et pas seulement pour ça, dit-il.

Il prit l'écuelle et engloutit son contenu d'un trait.

Elle s'assit auprès de lui.

— Comment avez-vous donc pu quitter Shelford ? demanda-t-elle.

Le forgeron se rembrunit. Il ne répondit pas aussitôt, et le martèlement rythmique de Martin sur l'enclume rendit l'attente de Robin plus longue. L'homme soupira. Robin patienta le temps nécessaire.

— Alfred est un brave garçon. Vraiment un brave garçon… murmura-t-il. Il est fort comme un taureau, bon et généreux. Il ne sait jamais dire non. Quiconque demande son aide l'obtient. Depuis que sa mère nous a laissés, il est devenu encore plus protecteur envers ses frère et sœur.

— J'ai réussi. Je suis le meilleur flécheur…. fléchier… faiseur de flèches… ben… je suis le meilleur de tous les temps ! hurla Gilbert.

Robin et le forgeron levèrent les yeux vers lui.

— Mais tu n'en es qu'au début, le rabroua Martin.

— Tout long voyage commence avec un premier pas ! lui répondit son frère d'un air convaincu, tandis qu'il glissait le cercle de métal dans le charbon incandescent.

Le forgeron ébaucha un sourire et s'abîma dans ses sombres réflexions.

— Vous étiez en train de me parler d'Alfred… lui rappela Robin.

— Oui, Alfred… J'avais une forge avec mon frère Owen. J'en tirais de quoi nourrir mes enfants. Il y a quelques jours… (Il se tut un instant.) Martha aimait bien jouer devant la forge, tantôt avec Henry, tantôt avec sa petite cousine Alice, la fille d'Owen. Les enfants savaient qu'il ne fallait pas traverser la route, qu'ils devaient faire attention aux chariots de passage et aux chevaux. De la forge, Owen et moi les gardions à l'œil, et puis Alfred ne les perdait jamais de vue. Il y a quelques jours, j'ai entendu de lourds piétinements de sabots. J'ai levé la tête, j'ai vu Martha et Alice qui sautillaient et battaient des mains. Un instant plus tard, elles n'étaient plus là. J'ai entendu des hennissements, des piaffements et des cris. Alfred s'est précipité au-dehors.

Il se tut de nouveau et baissa la tête.

— Je suis sorti moi aussi, mais tout était déjà terminé, continua-t-il, la gorge serrée. Un étalon bai énorme avait renversé Alice.

Robin sentit les battements de son cœur s'accélérer.

— Je l'ai vue à terre, puis Alfred qui mettait Martha en sécurité sur un tonneau, reprit le forgeron. J'ai couru vers elle, Owen vers Alice qui gisait au milieu de la rue. Et nous ne nous sommes pas aperçus qu'Alfred attaquait le chevalier qui avait renversé sa cousine avec un bâton.

Robin manqua de souffle ; son cœur s'emballa au point qu'il lui sembla que sa poitrine allait voler en éclats.

— Le chevalier l'a frappé à la tête avec la garde de son épée. Il s'est écroulé au sol. Ceux qui étaient présents en sont restés pétrifiés. Personne n'osait intervenir. Les cavaliers ont poursuivi leur route comme si de rien n'était. Martha pleurait. Alfred est robuste, et il est revenu à lui au bout d'un moment, mais Alice… nous l'avons emmenée chez le chirurgien. J'ignore comment se sont passées les choses ensuite.

Robin éprouva un élan de compassion envers toute la famille ; toutefois, l'homme sur le cheval bai occupait toutes ses pensées.

— Quelques heures plus tard, on m'a averti que le chevalier revenait. Il voulait punir Alfred qui avait osé l'attaquer. Un forgeron ne peut pas s'en prendre à un chevalier. J'ai rassemblé quelques affaires à la hâte et nous nous sommes enfuis.

— Je suis désolée… murmura Robin.

— Nous sommes vivants. J'espère juste qu'Alice a eu autant de chance que nous.

Les coups de marteau sur l'enclume résonnèrent dans le silence.

— Peux-tu me décrire ce chevalier ? demanda Robin, sa voix réduite à un murmure comme si toute la douleur éprouvée la nuit de l'incendie s'était accumulée dans sa gorge et l'empêchait de parler.

Le nom du prisonnier

— Je ne connais pas son visage, mais depuis quelque temps, il vient souvent à Shelford, expliqua Richard à voix basse, comme si le seul fait de l'évoquer lui inspirait de la crainte. Il porte un heaume court.

Un destrier bai, un heaume court. Des détails que Robin n'oublierait jamais.

— Il monte le buste en avant et a un carquois de cuir plein de flèches à l'empennage rouge.

— Et sur le caparaçon vert qui recouvre son cheval, il y a un dragon rouge, poursuivit Robin.

Le forgeron tressaillit.

— Tu le connais ?

Le corps de Robin répondit avant son cerveau. Elle se leva d'un bond et se dirigea vers son arc comme si elle s'apprêtait à partir sur-le-champ. Au bout de quelques pas, elle se rendit compte de l'absurdité de sa réaction. Elle revint s'asseoir auprès du forgeron.

— Crois-tu qu'il soit encore à Shelford ? demanda-t-elle.

— Lui et les siens ont livré un jeune brigand au shérif. Ils resteront sans aucun doute en ville jusqu'à ce qu'il soit pendu, dans trois jours.

Robin eut l'impression qu'il n'y avait plus d'air autour d'elle. Elle ne percevait plus rien, ni le bruit du marteau sur l'enclume, ni le froid, ni la présence des autres membres du clan. Elle était en proie à un horrible pressentiment.

— Qui était le prisonnier ?

— Un garçon un peu plus âgé que toi.

— Tu connais son nom ?

— Philip.

Robin attendit que Mud Sourcil Fendu et Gilbert Nez Aquilin aillent monter la garde et que les autres soient endormis. Au bout d'un moment, Will aussi se leva pour une de ses habituelles sorties nocturnes. C'était le moment.

Robin s'assit en silence sur sa paillasse, enfila ses bottes, et prit l'arc et le carquois plein de flèches qu'elle avait préparés avant d'aller se coucher.

— Où vas-tu ? chuchota Bryce.

Robin sursauta.

— Je n'arrive pas à dormir, j'ai besoin de prendre un peu l'air, répondit-elle.

Elle n'avait pas encore traversé la clairière qu'une voix lui parvint des ronces qui entouraient l'entrée de la caverne.

— Depuis que tu as parlé à Richard, tu es devenue muette et ton regard a changé. Ton carquois est plein. Alors, je te le demande encore : où vas-tu ?

Robin ferma les yeux et soupira. Elle n'avait pas prévu d'être interceptée. Elle ne voulait pas affronter des adieux. Mais elle ne pouvait pas mentir à Bryce.

— Promets-moi que tu ne me suivras pas et que tu n'en parleras à personne.

— Promis, répondit Bryce.

— Mon frère est en prison, pas trop loin d'ici. Je vais le retrouver.

— Où ?

— Ne demande rien et je ne te mentirai pas.

Alors que Bryce allait répliquer, Robin l'interrompit.

— Tu as promis.

La douleur et la déception se disputaient dans les yeux de Bryce.

— Je fais parfois des promesses stupides. Pourquoi veux-tu y aller seule ? s'enquit-il.

— Je dispose de moins de trois jours pour arriver à destination, je n'ai pas une seconde à perdre. Je ne veux pas causer d'ennuis au sein du clan, attendre les décisions de groupe, me farcir l'humeur de Will et lui permettre de m'exclure, ainsi que quiconque prendrait mon parti. Tu t'imagines ce qu'il pourrait soupçonner si je lui disais que je veux m'en aller ? De plus, je ne veux pas d'adieux.

Durant quelques instants, le gamin resta plongé dans ses pensées comme s'il assimilait la nouvelle.

— Tu as des vivres ? Un plan ? demanda-t-il enfin.

— J'ai mon arc et pour l'instant suffisamment de temps pour comprendre ce qui se passe et trouver une solution.

Les yeux de Bryce recouvrèrent leur éclat.

— Attends-moi. Je reviens tout de suite, dit-il, et il disparut à l'intérieur du Château.

Robin fut tentée de se mettre à courir, de ne pas faire les adieux qu'elle voulait éviter. Elle n'y parvint pas. Le gamin revint avec un sac.

— Je t'accompagne seulement le premier mille et je t'explique ce que je vais te donner, dit-il.

— Jusqu'aux Pierres Plates. Pas un pas de plus, lui concéda Robin.

Ils s'enfoncèrent entre les arbres.

— Il y a assez de vivres là-dedans pour arriver où tu veux, expliqua Bryce en agitant le sac. Et deux shillings. Ils sont à moi, je ne les ai pas volés au clan.

Robin tarda à lui répondre. Elle avait la gorge nouée.

— Ne dis rien, la devança le garçon. Moi, je n'en ai pas besoin. Il y a une outre avec de l'hydromel, peu d'eau car tu trouveras des ruisseaux. Et puis le meilleur morceau : ceci, ajouta-t-il en sortant du sac un drap épais d'étoffe brune. (Il rit devant l'air perplexe de Robin.) C'est un habit de moine. Je l'ai pris dans la caisse d'Ewart, il serait content de te le donner.

— Mais…

— Pas de mais… Ewart serait heureux de te le prêter, et dans le cas improbable où il ne le serait pas… il serait mesquin et son opinion ne mériterait pas qu'on s'en soucie ; et de toute façon il me doit quelques services et je ne fais que toucher mon dû… et puis…

— J'ai compris ! le coupa Robin, sachant qu'une fois que Bryce était lancé on ne pouvait plus l'arrêter. Je veux juste savoir : à quoi me servira un habit de moine ?

Bryce secoua la tête.

— Si ton frère est en prison, tu ne pourras t'introduire auprès de lui que si tu appartiens à la noblesse ou à l'Église. Des habits de noble, on n'en a pas, alors tu devras te déguiser en moine.

Robin sourit. L'idée de son ami lui paraissait absurde.

— Un moine… une fille ? C'est vraiment crédible !

— Un jeune novice qui souhaite réconforter le captif, dit Bryce. Pour avoir l'air d'un garçon, il faudra juste que tu te salisses le visage pour simuler une barbe naissante, marcher sans élégance et avoir une voix bien plus grave. Essaie de la faire provenir du fond de la gorge. C'est facile.

De la voix la plus grave qu'elle réussit à émettre, Robin exprima ses doutes.

— Tu oublies que j'ai aussi les formes d'une femme.

Bryce eut un petit rire.

— La voix, ça peut aller, et l'habit est ample. Par mesure de précaution, je t'ai aussi apporté cela, annonça-t-il avec satisfaction. (Il sortit un long rouleau d'étoffe du sac.) Ta poitrine n'est pas énorme, il suffira que tu la bandes et, crois-moi, personne ne se rendra compte que tu es une fille.

Robin l'examina un instant et réfléchit. Sa proposition commençait à lui sembler moins absurde.

— Vas-y, mets-le tout de suite. T'y habituer dès maintenant te permettra de ne pas avoir l'air trop raide.

Robin acquiesça et attendit que Bryce s'éloigne ou au moins se retourne. Au lieu de cela, il restait là à la regarder.

— Dépêche-toi ! l'encouragea-t-il. Je vais t'aider à bien t'emmailloter, les premières fois, c'est difficile.

— J'aimerais mieux que tu te retournes.

Le gamin pencha la tête et fut pris d'une crise de fou rire qu'il essaya de dissimuler en se couvrant le visage de ses mains.

Robin ne savait que penser de sa réaction.

Bryce se calma et la regarda d'un air sérieux.

— Je ne vais pas me retourner, affirma-t-il, et il ôta sa tunique.

Robin eut un mouvement de recul.

Braelyn

— Je ne sais pas ce que tu as à l'esprit, mais arrête, dit Robin dès que le gamin voulut aussi enlever sa chemise.

Celui-ci s'immobilisa.

— Tu te rappelles le jour où on s'est rencontrés ? Je t'ai dit que je te voulais tout de suite dans le clan pour deux raisons, dont la seconde était un secret.

Le gamin ôta sa chemise. Robin écarquilla les yeux et eut le souffle coupé. Bryce n'était pas Bryce.

Son buste était serré dans une bande de tissu semblable à celle qu'elle tenait encore à la main, mais ses seins étaient bien visibles. Bryce était une fille.

— Maintenant tu le sais, déclara-t-elle d'une voix claire et fluette que Robin n'avait jamais entendue auparavant.

— Je… je n'avais pas compris, bredouilla Robin, encore en proie à la stupéfaction.

— Si j'ai réussi à vous faire croire à tous pendant si longtemps que j'étais un garçon, tu peux faire croire que tu es un novice pendant quelques heures.

Robin avait les idées embrouillées. Elle avait l'impression que son ami, le gamin du clan, avait disparu pour toujours. Et pourtant, il était là devant elle, avec les mêmes yeux pleins de vie et communicatifs.

— Pourquoi as-tu fait ça ? Qui es-tu véritablement ?

— Mon nom est Braelyn. Si tu veux bien enlever ta tunique, à présent, je t'aide à t'emmailloter et je te raconte le reste, dit-elle en se rhabillant.

Dans la forêt illuminée par la lune, Robin ôta sa tunique et comprit pourquoi Bryce ou, plutôt, Braelyn, avait toujours évité ses étreintes. L'autre commença à lui emmailloter la poitrine.

— On pourchassait ma mère parce qu'on la tenait pour une sorcière. Et tout le monde était convaincu que j'avais hérité de ses pouvoirs. Alors, elle m'a obligée à me déguiser en garçon, m'a appelée Bryce, et on a fui de village en village. Mais où que l'on aille, il y avait toujours quelqu'un qui la traitait de sorcière. Pour finir, on l'a brûlée sur le bûcher. Je n'ai pas réussi à la sauver. Je me suis encore échappée. Un jour, j'ai rencontré Mud et les autres. Et étant donné le caractère de Will, j'ai préféré rester Bryce. Je n'ai même pas pensé à redevenir moi-même, en tout cas, pas jusqu'à ton arrivée. Voilà, j'ai terminé.

— Braelyn… c'est un joli nom…

Robin vit dans les yeux de l'autre fille une lueur d'incertitude, l'attente d'un jugement.

— Tu es déçue ?

— Oui ! répondit Robin. Par ma stupidité ! Tu étais trop vive pour être un garçon. Je peux te serrer dans mes bras maintenant ?

Braelyn lui sauta au cou et l'étreignit fort.

— Amis comme avant ? demanda-t-elle.

— Je dirai même plus : amiEs ! s'écria Robin dans une dernière étreinte. (Puis elle enfila la tunique et ramassa le sac.) Viens avec moi pour un autre bout de chemin.

Elles bavardèrent tout en marchant.

— Tu le diras aussi aux autres ? demanda tout à coup Robin.

— Je ne sais pas… D'abord, tu reviens. Ensuite on verra.

Cette phrase fit réfléchir Robin. Son unique pensée était de retrouver Philip et le chevalier. Quoi que lui réserve l'avenir, cela lui semblait encore trop loin.

— Je ne crois pas que Will me laissera revenir au clan.

— Tu reviens. J'en parlerai à Mud, si tu veux bien que je lui dise la vérité. Lui et moi, on persuadera le Blond. Je ne veux pas que tu disparaisses de ma vie. Personne ne le voudrait. Tous aimeraient te donner un coup de main…

— C'est pourquoi je m'en vais ainsi.

— Dans dix jours, je t'attendrai au ruisseau où on s'est rencontrées la première fois, rétorqua Braelyn. Et on décidera.

— D'accord, consentit Robin.

Elle n'avait pourtant pas la moindre idée de ce qui lui serait advenu à ce moment-là.

— Et toi ? Tu diras *toute* la vérité à Mud ? demanda-t-elle un instant plus tard.

Braelyn soupira.

— Tu ne sais pas à quel point j'aimerais.

Elles se regardèrent et se comprirent aussitôt.

— Dis-la-lui, insista Robin. Il est convaincu que Bryce est amoureux de moi.

Bryce… Braelyn avait tenu parole. À un moment donné, elle avait dit : « On doit se séparer, à présent. À bientôt. » Elle lui avait adressé un de ses sourires bien à elle puis s'en était allée, épargnant à Robin des adieux déchirants. Bryce ou Braelyn, cela ne changeait rien. Elle restait la personne la plus loyale, pleine de vie et sympathique qu'elle ait jamais connue.

Robin évita le trajet qui lui aurait fait rencontrer Gilbert et Mud qui montaient la garde. Elle se retrouva dans une zone qu'elle connaissait peu, mais elle savait quelle direction prendre et la clarté de la lune l'éclairait suffisamment. Elle repensa à la première fois où elle était entrée dans la forêt. Très tendue, elle s'était efforcée d'être sur ses gardes. Maintenant, en revanche, elle se sentait calme, lucide et demeurait concentrée de manière naturelle. C'est ainsi qu'elle parvint à entendre un froissement sur sa gauche. Elle s'écarta à droite et se cacha derrière un arbre. Ce bruit pouvait appartenir à un gros animal ou à un être humain. En fait, il appartenait à Will.

Le garçon déboucha furtivement d'un taillis, un sac sur l'épaule. Robin tressaillit. Quand il était sorti du Château, il n'avait aucun sac. Elle le suivit à bonne distance pour ne pas être repérée et en marchant sans bruit comme le lui avait appris Ewart.

Dans une zone d'arbres serrés, Will s'arrêta devant un amas de pierres, faiblement illuminé par des rayons de lune qui s'insinuaient entre les branches. Robin le vit s'accroupir de dos et il lui sembla qu'il soulevait une large pierre plate. Elle l'observa tandis qu'il accomplissait d'autres gestes. Un instant plus tard, le sac avait disparu. Le Blond s'attarda à observer les alentours, puis, toujours sur le qui-vive, s'éloigna.

Robin s'approcha du tas de pierres et souleva la pierre plate. Elle dissimulait un petit puits avec le sac à l'intérieur, attaché par un lambeau de cuir. Robin le dénoua, l'ouvrit… et en eut le souffle coupé.

Bannie du clan

Le sac contenait un calice, une croix en argent, une cotte de mailles et six coupes marquetées. Le trésor du clan, qu'on avait accusé Robert d'avoir dérobé. En vérité, il n'avait volé que quelques coupes et ne lui avait donc pas menti. Le reste avait été dissimulé par Will. Robin avait l'impression que toute la situation était absurde. Bryce était Braelyn, Will était un menteur, un voleur et un traître, et Robert était loyal. Ce qui la mettait dans une situation des plus épineuses.

Robert avait respecté le pacte. C'était à son tour, à présent. Elle devait lui apporter le calice. Toutefois, le trésor appartenait au clan, même si tous étaient convaincus qu'il était perdu. Les rêves de chacun reposaient dans ces objets. Robin ne voulait pas les compromettre. Elle hésita. Et repensa à Will. Son rêve était le plus coûteux et Will était un… Il aurait fallu la

Grande Bataille de l'Insulte de Braelyn pour le définir. Tant pis pour lui s'il ne devenait jamais chevalier.

Elle se saisit du calice, ferma le sac, l'enfouit dans le petit puits et remit la pierre en place. Elle glissa le calice dans sa besace et se remit en route.

— Je t'attendais, lui cria Robert dès qu'elle s'approcha du fossé.

Robin y descendit. Le garçon était en train de boire, assis près du feu.

— Tu vas à Shelford ? demanda-t-il.

— Sais-tu quelque chose de plus que le forgeron ? rétorqua Robin.

— Non, je suis désolé. Tu veux manger ?

— Je n'ai pas le temps, je dois juste tenir ma parole, dit-elle.

Elle ouvrit sa besace et en sortit le calice d'argent.

Entre les reflets des flammes, Robin vit l'expression de Robert passer de l'incrédulité à la stupeur puis au bonheur.

Il se leva d'un bond, elle lui lança le calice qu'il attrapa au vol. Aussitôt après il éteignit le feu en jetant de la terre dessus. Il semblait pressé.

— Bien, dit-il. Je vais à Shelford. Tu m'accompagnes ?

— Tu te trompes, *moi*, je vais à Shelford. Et j'y vais seule.

— Combien de fois y es-tu allée ?

La réponse était jamais. Robin se tut, et Robert comprit.

— Moi j'y arriverai en un peu plus d'un jour et demi. J'ai des affaires pressantes à y régler. Fais comme tu veux.

Ils se mirent en route ensemble.

Ils avaient marché toute la nuit. Le soleil se levait. La lueur des premiers rayons irradiait la forêt d'une chaleur faible mais agréable.

— Crois-tu encore que je sois un voleur et un traître ? demanda Robert.

— Je ne sais pas quoi penser et je n'y pense pas. J'ai autre chose en tête.

— Comment comptes-tu te déplacer à Shelford ? Tu veux attaquer un chevalier à visage découvert et te faire massacrer ?

— Mon frère, Philip, est en prison. Il n'a rien fait. Je dois trouver le moyen de l'en faire sortir.

— Le garçon qu'ils veulent pendre ? C'est ton frère ?

Robin avala sa salive et eut du mal à prononcer la réponse.

— Oui.

— Tu ne réussiras même pas à lui parler.

— Bryce m'a donné un habit de moine…

— Celui d'Ewart ?

Robin acquiesça.

— Tu es trop belle pour avoir l'air d'un moine.

Robin s'embrouilla.

— Un novice… précisa-t-elle de la voix grave que Braelyn lui avait conseillé d'utiliser.

Robert secoua la tête.

— Pour un condamné à la pendaison, il n'y a pas d'espoir d'être sauvé. Tu n'auras aucun moyen de le défendre. Personne ne t'écouterait et tu risquerais de mal finir, toi aussi. Si tu as besoin d'aide, dis-le et nous trouverons un accord. Nous l'avons déjà fait à notre satisfaction commune.

Robin se sentit stupide, une gamine pleine d'illusions qui ne savait rien du monde. Elle aurait peut-être mieux fait de demander leur aide aux membres du clan.

— Raconte-moi tout ce que tu sais de Shelford et de la prison.

Braelyn avait parlé à Mud à son retour de la garde. Ils s'étaient ensuite mis à la recherche de Will, et Mud avait tenté de le convaincre de rejoindre Robin et de lui donner un coup de main. Grave erreur.

— Robin ne fait plus partie du clan ! hurla le Blond, le visage déformé par la colère. Et ce sera la même chose pour quiconque lui adressera la parole. Ils veulent juste nous détruire.

Braelyn était bouleversée. Elle l'avait vu furieux des tas de fois, mais jamais à ce point. Mud qui, d'habitude, réussissait à le calmer, ne savait plus comment le prendre.

— Parlons-en avec calme… bredouilla-t-il. On y arrive toujours.

— Mais il n'y avait jamais eu de fille entre nous ! brailla Will en marchant vers lui, l'air menaçant. Tu ne comprends pas ? Robert arrive et cette fille se volatilise. Depuis qu'on l'a chassé, il veut nous détruire. Elle est son espionne.

— Mais son frère est en prison à Shelford, intervint Braelyn. Qu'aurait-elle dû faire… l'y laisser ?

— Mensonges. Ne l'oublie pas, Bryce ! Les filles portent malheur, elles mentent, elles sont sournoises. Peut-être que celle-là n'a même pas de frère. Que celui qui la voit lui décoche une flèche, sous peine d'être exclu du clan. N'amenez plus jamais de fille ici. Et faites disparaître cette Martha ou je devrai m'en occuper moi-même !

— C'est une enfant, objecta Mud.

— C'est une fille !

Braelyn n'en supporta pas davantage. D'un même mouvement, elle ôta sa tunique et sa chemise et les jeta par terre.

— Tu en as une sous les yeux, de fille ! Je suis une fille, explosa-t-elle. Mais tu me fais confiance à moi !

Elle eut à peine le temps de voir Mud les yeux écarquillés que Will se jeta sur elle.

— Menteuse ! Fille sournoise ! Tu es bannie du clan toi aussi ! hurla-t-il.

Il lui lança son poing en pleine figure. Tout devint noir et elle s'écroula.

Lorsqu'elle reprit conscience, les deux garçons étaient en train de se battre. Mud résistait, mais Will, plus fort, ne retenait pas ses coups. Braelyn courut ramasser un bâton et l'abattit violemment sur le dos de Will.

— Arrête ! hurla-t-elle.

La bagarre s'interrompit. Les deux garçons se relevèrent. Mud avait la mine hagarde.

— Peut-on parler avec calme, maintenant ? essaya-t-il encore.

Will prit une expression glaciale.

— Vous êtes exclus du clan. Qu'on ne vous voie plus jamais, cracha-t-il.

Et il s'éloigna à la hâte.

— Qu'est-ce qu'on fait ? s'enquit Braelyn.

Mud la regarda. Sans dire un mot, il alla ramasser sa tunique et sa chemise et les lui tendit.

— Ton vrai nom ?

— Braelyn, dit-elle en se rhabillant, morte de honte.

Ce n'était pas ainsi qu'elle avait imaginé le lui dire.

— Bien, *Braelyn*. On retourne au Château. On fait partir le forgeron et sa famille, on met les autres au courant et on va à Shelford.

Mais quand ils arrivèrent au Château, ils ne trouvèrent ni Ewart ni les frères.

Il pleuvait. Ils avaient marché toute la journée et étaient épuisés. Robert lui indiqua une caverne. Quand elle y entra, Robin comprit qu'il s'agissait d'un de ses refuges. Il n'y avait qu'une paillasse. Ils ne purent se mettre d'accord sur qui allait y dormir. Ils glissèrent dans le sommeil en y posant le dos, leurs jambes étendues à terre.

Wellfield brûlait. Son père courait vers elle, le visage empreint de terreur. La flèche l'arrêtait net. Le

Chevalier du Dragon levait son épée pour lui assener le coup de grâce. La chevelure de sa mère était en flammes. Une flèche à l'empennage rouge lui transperçait la poitrine. Un instant après, le bourreau serrait le nœud coulant autour de la gorge de Philip.

Robin se réveilla. Il fallait qu'elle trouve un moyen de faire évader Philip. Elle se rendit compte alors que Robert la regardait et souriait.

— Explique-moi encore comment est Shelford et surtout la prison.

Il le lui réexpliqua. Robin se concentra, essayant d'élaborer un plan pour faire sortir Philip. Elle allait se rendormir quand une question émergea de ses lèvres, sans ordre précis de son cerveau.

— Et toi, pourquoi y vas-tu ?

— Pour vendre le calice.

Celui qui ment va en enfer

La matinée était déjà bien avancée quand Robin quitta le couvert des arbres et la vit. Shelford était perchée sur la petite colline qui faisait face à celle où elle se tenait avec Robert. Le château se dressait au sommet et le reste de la ville s'étendait vers le bas jusqu'aux murs entourés d'un fossé. Une vaste plaine parsemée d'épais bosquets séparait les deux collines.

— On y arrivera quand le soleil sera au zénith, dit Robert.

— Si je te proposais un nouvel échange, que voudrais-tu ? demanda-t-elle en espérant pouvoir lui offrir ce qu'il désirerait.

Robert la regarda, visiblement intéressé.

— Dans l'immédiat, je n'ai besoin de rien.

Robin ne s'attendait pas à cette réponse. Elle mettrait seule son plan à exécution, avec tous les risques que cela comportait.

La ville s'est développée autour du château qui a été érigé par le prem baron Talbot, lord Joseph. Au début, les quelques habitatio environnantes étaient en bois et en paille, mais avec le temps et l'accroisseme des richesses, les édifices se sont multipliés et ont été remplacés par d constructions en pierre. Des maisons et une partie du château se sont écroulé à la suite de séismes et d'innondations mais elles ont été plusieurs fois recon truites, toujours de façon différente.

— Alors, on va faire comme ceci, continua Robert sans cesser de la regarder. Je t'aide et, toi, d'ici un an, tu devras me rendre la pareille.

— Du moment que ce n'est pas contre Ewart, Mud, Bryce ou les frères, décréta-t-elle.

— Je remarque que Will ne fait plus partie de la liste. Dis-moi ce que tu veux.

Robin hésita. Ce qu'elle allait demander était énorme et impliquait d'accorder une confiance totale à Robert.

— Tu t'habilles en moine et tu entres dans la cellule de Philip, lâcha-t-elle enfin. Vous ne vous ressemblez pas, mais vous mesurez la même taille. Tu lui donnes l'habit. Il baisse bien la capuche sur sa tête et il sort de la cellule ainsi déguisé. Ensuite, tu feins d'être évanoui pour me donner le temps de l'emmener en sécurité, tu donnes l'alarme et tu dis qu'il t'a attaqué. Si on me trouvait moi sans habit, même avec toutes les précautions du monde, je ne pourrais pas me faire passer pour un novice.

Robin eut l'impression d'avoir perdu dix ans de sa vie.

Robert en resta bouche bée durant un instant, puis répondit simplement :

— D'accord.

Robin sursauta. Elle n'aurait jamais osé espérer que tout serait aussi facile. Elle regarda longuement le garçon. Elle s'était trompée sur son compte.

— Peut-être que tu n'as pas une âme corrompue.

— Ben… merci du compliment.

Robin traversa seule le pont de bois qui menait aux portes de la cité sous les yeux de deux gardes qui s'ennuyaient. Elle le parcourut entre un chariot plein de pierres et deux hommes à l'air peu recommandable. Le plus jeune lui adressa une grimace inquiétante, dévoilant ses gencives édentées. Comme il continuait de la fixer en grimaçant, elle se hâta de franchir la muraille, si imposante qu'elle se sentit toute petite.

Suivant le plan mis au point avec Robert, elle marcha rapidement vers la voie la plus large qui s'offrait à elle. Elle ne s'était pas attendue à croiser tant de monde. Un homme la bouscula pour la dépasser et ne s'en rendit même pas compte. Elle l'ignora et poursuivit son chemin. Un âne fit ses besoins en plein milieu de la rue. Une foule vociférante et chahuteuse était attroupée devant une boutique. Deux chariots voulurent passer de front près du rassemblement et finirent par bloquer le passage. Les deux conducteurs commencèrent à s'insulter, puis, très vite, ils en vinrent aux mains. Les badauds appréciaient le spectacle. Quelqu'un intervint et bientôt la mêlée devint générale.

Robin s'engagea dans une autre rue, celle des brasseurs, sous la muraille occidentale, apparemment tranquille. Elle n'avait pas fait trente pas qu'elle aperçut Robert sortir d'une boutique. Il portait déjà l'habit de moine et n'avait plus son sac. Il devait avoir vendu le calice. Une fille de haute taille, avec de magnifiques cheveux noirs, longs et ondulés, sortit du local, lui courut après, le saisit par les épaules et le serra contre elle. Sans en comprendre le motif, Robin se sentit profondément irritée. Elle continua à avancer, et quelques pas plus tard, croisa le regard de Robert. Il lui sourit, et contrairement à ce qu'ils avaient décidé, s'approcha d'elle.

— Une aumône pour le monastère de Saint-George-on-the-River, jeune fille ! lui dit-il.

— Pardonnez-moi, bon frère, ma bourse est vide, répondit-elle en jouant le jeu, toujours contrariée.

— Celui qui ment va en enfer, rétorqua-t-il, sérieux, entièrement pris par son rôle.

Un passant s'approcha et lui donna un demi-shilling.

— Dieu te bénisse, brave homme ! s'écria-t-il vivement avec un sourire sage et bienveillant.

En le regardant s'éloigner, Robin se sentit un peu soulagée. Elle ne l'avait pas chargé de cette mission de gaieté de cœur. Elle aurait voulu aider Philip elle-même, et s'en remettre à Robert était peut-être risqué. Toutefois, contrairement à elle, il connaissait Shelford – et qui sait combien d'autres cités –, s'y déplaçait avec naturel, avait de la repartie. Elle-même ne se sentait en sécurité que dans la forêt et, dans une ville, elle aurait pu se trahir à chaque pas.

Elle tourna dans la voie principale et vit la place du Marché tout au bout. Elle ne devait pas aller jusque-là. Elle regarda autour d'elle à la recherche d'une boutique fermée avec une enseigne qui représentait un soulier. Quand elle l'eut repérée, elle y dirigea ses pas. Comme Robert le lui avait indiqué, il lui suffit de poser la main sur la porte pour qu'elle s'ouvre. Elle entra. C'est là qu'elle attendrait Philip. La pièce ne contenait qu'un tabouret, un baril vide et des ordures de toutes sortes. Robin s'assit de façon à garder l'œil sur l'huis, ôta l'arc de son dos, prit instinctivement une flèche dans le carquois et l'encocha.

L'attente lui tapait sur les nerfs. Robin savait que l'important se déroulait ailleurs, que n'importe quoi aurait pu aller de travers sans qu'elle le sache. Pour rester calme, elle pensa à Philip, à l'envie qu'elle avait de le revoir, à ses yeux d'éternel gamin, aux moments où il tirait à l'arc ou prenait un bain dans le fleuve et qu'il feignait de se noyer pour qu'elle vienne le secourir, et qu'il la pousse sous l'eau. Ses souvenirs s'interrompirent sans qu'il se soit rien passé. Elle attendit.

Elle eut le pressentiment que son plan avait échoué. Et si elle s'était trompée sur le compte de Robert ? Et s'il l'avait dénoncée ?

Robin ignorait combien de temps s'était écoulé, elle savait juste que c'était long. Trop long pour rester en place. Elle se leva, se rendit à la porte de bois et l'entrebâilla. Le soleil se couchait. Dehors, la foule s'était dispersée. Les rares passants se dirigeaient vers la place du marché, au-delà de laquelle se trouvait la prison.

Elle décida d'aller jeter un coup d'œil. Elle remit la flèche dans le carquois, l'arc sur son dos et sortit. Le regard fixé droit devant elle, elle rejoignit la place d'un pas lent et, par-delà la cohue de curieux vociférants, elle le vit… et en eut le souffle coupé. Au pied de la muraille, l'échafaud se dressait dans toute sa cruelle indifférence. Elle observa l'homme qui tirait sur le nœud coulant pour en vérifier la robustesse et frissonna, submergée par une vague de nausée. Un groupe de curieux arriva dans son dos et la poussa en avant.

— Quelle beauté, n'est-ce pas, petite ? lui dit un gros homme dont les yeux luisaient d'une joie mauvaise.

Robin brûlait d'envie de le frapper. Comment cela pouvait-il l'amuser ? Pourtant, elle acquiesça et se dit que si le bourreau préparait tranquillement la potence, le condamné n'avait pas dû réussir à s'évader. Elle s'éloigna de la foule, déterminée à retourner à la boutique.

— Halte !

Cette voix, une sorte de murmure crié, la fit frissonner. Elle espéra que l'ordre ne s'adressait pas à elle et accéléra le pas.

— Halte ! entendit-elle de nouveau.

Quelque chose au plus profond d'elle-même la contraignit à s'arrêter et à faire volte-face. Un moine aux yeux hagards, ou plutôt, un squelette en habit de moine, avançait vers elle en boitant, les gestes désordonnés.

Frère James

Au second regard, elle le reconnut et resta pétrifiée. Philip ! Ou plutôt son ombre. Son visage était flétri, le roux de ses cheveux éteint. Robin résista péniblement à l'impulsion de courir se jeter dans ses bras. Elle posa l'index sur ses lèvres pour l'inviter à se taire, jeta un coup d'œil alentour et, d'un bref signe de tête, lui intima de la suivre. Personne ne faisait attention à eux. Elle se hâta vers la boutique, y arriva peu après avec l'impression d'avoir parcouru une rue sans fin. Elle tint la porte entrouverte et Philip entra quelques instants plus tard.

— Robin… murmura-t-il.

Elle referma la porte et put enfin s'abandonner à l'étreinte dont elle rêvait depuis des mois. Mais ses mains ne reconnaissaient pas le corps de son frère, amaigri à l'extrême.

Philip éclata en sanglots.

— Je n'y croyais plus. Je te croyais morte jusqu'à ce que ce moine…

Robin aurait aimé rester entre ses bras durant des heures, le consoler, l'écouter, lui parler.

Pourtant, elle s'écarta.

— Ce n'est pas un moine. Il s'appelle Robert. Il va bien ?

— Il m'a demandé de lui donner un coup de poing pour simuler une bagarre. Il m'a chargé de te dire que tout se passe comme prévu et qu'on se retrouve à l'endroit convenu.

— Bien. Allons-y, alors, dit Robin.

Elle comprit que Robert avait attendu le moment opportun pour agir. Elle s'en voulut d'avoir douté de lui et espéra que la deuxième partie du plan se déroulerait aussi bien que la première.

Ils sortirent de la boutique. Pendant le trajet, Robin tendit l'oreille au moindre bruit, craignant d'entendre des cris d'alarme, l'arrivée des gardes de la prison ou les sabots d'un certain étalon bai. Chaque pas était un défi.

Quand ils parvinrent au pont, Philip haletait. Cependant, Robin ne ralentit pas l'allure avant d'être suffisamment loin des murailles. Lorsque son frère la rattrapa, elle le regarda et il ébaucha un sourire las. Dans ses yeux, il n'y avait plus aucune expression enfantine. Robin lui caressa le bras. Il sursauta comme si on l'avait frappé.

Ils traversèrent la plaine, gravirent la colline et rejoignirent la forêt. Sous le couvert des arbres, ils purent enfin s'étreindre sans crainte. Philip laissa libre cours aux pleurs qu'il avait dû ravaler à la boutique. Ils se dirent mille fois à quel point ils s'aimaient et combien chacun des deux avait manqué à l'autre, se rappelèrent la terrible nuit où Wellfield avait brûlé. Robin relata à son frère la mort horrible de leurs parents. Philip chancela et elle l'aida à s'asseoir, le dos appuyé à un arbre. De la cavité au centre du tronc, elle sortit son sac et celui de Robert.

— Tu as faim ?

Philip la regarda comme si la question était dépourvue de sens.

— Je n'ai plus l'habitude de manger.

Robin lui tendit de la viande séchée et l'outre d'hydromel.

— Tu te réhabitueras. Tu as besoin de reprendre des forces, dit-elle d'un ton rassurant.

Elle s'assit près de lui et le regarda grignoter sans appétit.

— Que t'est-il arrivé ? Où t'ont-ils emmené ? Pourquoi t'ont-ils emprisonné ? demanda-t-elle.

— Je l'ignore. Ils m'ont laissé très longtemps au fond d'un cachot. Un jour, une noble dame est venue…

« Elle le veut vivant ! » La voix du chevalier que Robin avait entendue de l'intérieur du puits résonna dans son esprit.

— … Elle m'a posé des questions, continua Philip. Je ne sais pas pour qui elle m'a pris, mais elle voulait savoir où était ce maudit médaillon.

Robin sursauta.

— Quel médaillon ? Celui-là ? demanda-t-elle en le sortant de dessous sa tunique.

Philip pâlit.

— Jette-le ! Je le déteste. Je ne veux plus le voir. Après que cette femme m'a interrogé, ses coupe-jarrets m'ont fait voir l'enfer pour savoir à qui je l'avais volé, où, comment… quand…

Il s'interrompit, submergé par la douleur de souvenirs insupportables. Robin fit glisser le bijou sous sa tunique. Philip ne s'en aperçut même pas.

— Je ne l'ai pas volé… murmura-t-il en fixant le vide.

— Je sais, dit Robin.

Elle lui passa un bras autour des épaules. Philip émit une sorte de hoquet et reprit son récit.

— Quand ils ont dit que je ne leur étais plus utile, j'ai cru qu'ils allaient me laisser partir. Au lieu de cela, ils ont lancé contre moi de fausses accusations – que j'avais attaqué cette femme, que j'avais tué l'héritier des Talbot… Moi, je n'ai rien fait de tout ça… tu le sais…

Un étrange silence tomba, chargé d'angoisse et de questions, de regrets et de souffrance. Robin était anéantie. Philip semblait revenir de l'enfer.

Frère James du couvent de Saint-George, *alias* Robert, était étendu dans la cellule de la prison de Shelford, calme et satisfait. Le plan de Robin s'était révélé efficace et l'évasion de Philip avait été couronnée de succès. Cependant Philip était trop faible pour se déplacer rapidement ou longtemps. Pour donner aux deux fugitifs le temps de s'éloigner, Robert avait décidé d'attendre la tombée du jour pour lancer l'alarme. Ensuite il rejoindrait Robin. Il repensa à la manière dont elle l'avait regardé quand il avait accepté de l'aider. Dans ses yeux toujours soupçonneux avait brillé une douce étincelle : peut-être de l'espoir, ou bien de la gratitude, ou de la confiance.

Il jeta un coup d'œil par la meurtrière : une lueur à peine ébauchée éclaircissait le ciel. Soudain, sans qu'il ait entendu aucun bruit annoncer une arrivée, la grille du cachot grinça. Robert eut tout juste le temps de se retourner. Le shérif entra et se rua sur lui. Robert parvint à esquiver le premier coup, mais deux autres gardes se joignirent à lui pour lui prêter main-forte. Ils le frappèrent encore et encore ; il essaya de se défendre, mais les autres eurent le dessus.

— Où est le prisonnier ? Parle, *moine* ! brailla l'un d'entre eux quand ils l'eurent immobilisé.

— Il m'a attaqué, fit Robert. Il m'a volé mon habit et...

Un coup de pied lui coupa le souffle.

— Amenez-le !

Robert se raidit, certain qu'ils avaient repris Philip. Pourtant, à travers le sang qui coulait de sa blessure au front, il vit entrer un moine au ventre rebondi et aux grands yeux bleus. Il avait l'air embarrassé.

— Je suis désolé, mon fils, murmura le religieux.

— Maintenant, explique-nous. Si tu es bien le frère James du couvent de Saint-George, comment se fait-il que ton prieur ne te connaisse pas ? cria le shérif.

Un froid mortel envahit Robert. Il avait choisi de se présenter comme membre de Saint-George parce que le couvent était à bonne distance de Shelford et que les frères ne s'en éloignaient presque jamais. Mais le destin en avait décidé autrement.

— Où est allé le prisonnier ? Qui es-tu ? hurla l'un des gardes en le frappant au visage.

Robert comprit que c'était terminé. Il n'avait d'autre choix que de se taire.

Des chemins différents

Robin était effarée par l'entêtement de Philip. Trop de temps s'était écoulé désormais et elle était très inquiète pour Robert. Elle voulait retourner en ville sur-le-champ et son frère s'obstinait à vouloir l'accompagner.

— Pour la dernière fois… continue seul ! Va toujours vers l'ouest, sans t'arrêter. Nous te rattraperons.

— Je ne te laisserai pas rebrousser chemin seule ! se récria-t-il, désespéré. Je viens avec toi.

— Tu ne serais qu'un poids mort ! s'exclama Robin qui se détesta pour ce qu'elle venait de dire. C'est toi qui es recherché ! Tu tiens à peine debout.

Philip baissa la tête, humilié.

— Peut-être que ton ami a dû se cacher… ou bien il est avec une fille, supposa-t-il. Je ne crois pas que tu le connaisses assez bien pour exclure cette hypothèse.

— Je sais uniquement qu'il m'a aidée à te libérer. En échange de rien. Et cela me suffit, répliqua Robin.

Et au moment précis où elle prononçait ces paroles, elle se rendit compte à quel point c'était vrai.

— Tu ne sais pas ce dont ces brutes sont capables, continua Philip. S'ils ont découvert que ton ami m'a fait évader, ils ont dû le rouer de coups. Et même s'il est encore en vie, ils vont renforcer la surveillance. Si tu retournes en ville, ils te tueront.

Robin sentit un étau lui serrer l'estomac. S'il était arrivé quelque chose à Robert, la faute était entièrement sienne.

— Allons ensemble à York ! proposa-t-il. Claire et Rudolph sont des parents de Papa. Ils nous logeront !

Robin ne se souvenait même pas d'eux. Et elle refusait de perdre d'autres précieux moments. Elle prit son sac et le donna à son frère.

— Toi, tu vas à York, aucun risque qu'ils te cherchent là-bas. Je sais que ce sera difficile, mais ne t'arrête pas avant l'aube. Là-dedans il y a de la nourriture, de l'hydromel et un couteau. Ménage l'hydromel. Il y a aussi deux shillings. Je suis désolée de ne pouvoir te donner plus.

— Je reconnais mes limites, s'emporta Philip. J'admets qu'en ce moment je ne peux être d'aucune aide à quiconque. De la même manière, tu devrais admettre que tu n'es qu'une gamine et que tu ne peux affronter les gardes de Shel…

Robin l'interrompit d'un geste.

— Pendant que tu moisissais dans ce cachot, j'ai appris à tirer à l'arc presque aussi bien que Papa, j'ai fait des manœuvres d'encerclement, j'ai vécu dans la forêt. Je ne suis plus la Robin de Wellfield.

Philip ne répliqua pas. Il resta immobile à la regarder comme s'il soupesait ses dernières paroles.

Robin ramassa un bâton et le lui tendit.

— Il te servira de canne. Va jusqu'au fleuve et marche dans l'eau le plus longtemps possible, lui conseilla-t-elle.

Il la regarda, ahuri.

— Ainsi tu ne laisseras pas de traces pour d'éventuels poursuivants.

Son frère la regardait fixement.

— C'est vrai, murmura-t-il. Tu n'es plus la même qu'à Wellfield. Et moi non plus. Autrefois, j'étais en mesure d'accomplir mon devoir de frère aîné et de te protéger.

Robin le serra contre elle.

— Et tu le feras encore, quand tu te seras remis. Tu as juste besoin de temps, dit-elle pour le réconforter.

— Promets-moi que si ça tourne mal, tu feras demi-tour et tu me rejoindras.

— Je te promets que je viendrai à York dès que j'en aurai fini avec toutes les affaires qui me restent à régler ici.

Grâce aux nuages qui cachaient la lune, Robin put s'approcher de Shelford dans l'obscurité. Des cavaliers avec des torches franchirent au galop les portes de la ville et prirent la direction opposée à celle de son frère.

Elle s'efforça de distinguer parmi eux le Chevalier du Dragon, mais n'y réussit pas. Ils étaient trop loin.

Elle s'approcha du pont et rampa dans le noir le long des planches, près du parapet. À la porte ouverte sous les murailles, un garde lui tournait le dos et tentait de contenir un groupe de curieux.

— Les ordres sont clairs : personne n'entre et personne ne sort de la ville ! hurla-t-il en agitant son épée.

— Nous voulons voir la capture du fugitif, cria quelqu'un.

Robin se sentit glacée.

Deux gamins cherchèrent à se faufiler à gauche du garde. L'homme en frappa un du plat de son épée et saisit l'autre par sa tunique. Robin en profita pour passer silencieusement à sa droite et se glisser dans la foule.

Les gens commençaient à rire et à crier ; le garde se retourna, irrité, et assomma le garçon qu'il tenait. Celui-ci s'écroula à terre et la foule se tut brusquement.

— Le spectacle est terminé. Rentrez chez vous.

La foule se dispersa et Robin se joignit à un groupe de personnes, le seul où se trouvait une femme. Quand elle fut toute proche, elle reconnut la jeune fille qui avait étreint Robert quelques heures auparavant. La vive contrariété qu'elle avait alors éprouvée explosa de nouveau.

— Je n'aimerais pas être à la place du fugitif quand ils l'attraperont, commenta l'un de ses voisins.

— Et moi je ne voudrais pas être à la place du moine qui l'a fait échapper, marmonna un autre. Ils le pendront demain à la place du fugitif.

Robin en eut le souffle coupé. La fille qui avait étreint Robert laissa échapper un cri.

La pendaison

Robin abandonna le petit groupe, traversa la place de l'échafaud, prit le chemin qui montait au château et se dirigea vers la prison. À l'extérieur, les gardes étaient sur le qui-vive, des torches illuminaient le moindre recoin et la tension était palpable. Impossible de tenter quelque chose de ce côté-là. Elle revint sur la place et l'examina avec soin, essayant de le faire à la manière de Will. Elle parcourut Shelford en long et en large, glissant dans l'obscurité. Elle étudia les issues et les murailles, observa chaque planche de bois, chaque édifice, chaque rue, elle scrutait la ville comme s'il s'agissait d'une forêt, cherchant une manière de libérer Robert. Une idée lui vint à l'esprit, mais seule elle n'y arriverait jamais. Elle revint dans la rue des brasseurs et lorgna le local où était entré le petit groupe avec l'amie de Robert. À l'intérieur, les lumières étaient encore allumées. C'était son dernier espoir. Elle inspira à fond et entra. Les bavardages cessèrent brusquement et des regards soupçonneux se fixèrent sur elle. Il n'y avait que des hommes, quelques barils, deux chaises et un escalier de bois qui menait à l'étage supérieur.

— Que veux-tu ? lui demanda un type osseux avec un nez pointu et des cheveux blancs.

— À ton avis ? répondit Robin pour gagner du temps, regardant autour d'elle et ne voyant toujours que des hommes.

— Tu as de quoi t'offrir une bière ? Montre-moi tes shillings.

Robin les avait tous donnés à Philip. Elle se maudit intérieurement.

— Je cherche une fille, déclara-t-elle, jouant le tout pour le tout.

— Si tu veux, moi je suis une fille ! lança d'une voix grave un grand costaud rouquin et barbu.

Et il éclata de rire.

— Celle que je cherche est jolie ! rétorqua Robin. Elle a de longs cheveux noirs et elle me dépasse d'une tête.

— Comment peux-tu me connaître ? Moi, je ne t'ai jamais vue, fit une voix féminine rauque qui provenait de l'étage.

Un instant plus tard, la fille descendait les marches. Robin la trouva encore plus belle que l'après-midi. Elle ressentit de nouveau une sensation désagréable dans la poitrine et au creux de l'estomac.

— Nous avons des amis en commun, j'ai juste besoin de te demander une chose. Je ne te retiendrai pas longtemps.

La fille la regarda d'un air soupçonneux.

— Sortons, dit-elle.

— Esmeralda, tu crois que… ? bougonna Cheveux Blancs.

Elle lui sourit avec calme.

— Que veux-tu qu'il arrive ? Vous êtes tous là !

Une fois dehors, Robin examina Esmeralda. Son expression ne laissait rien paraître. Ni ennui ni curiosité.

— Alors ?

Robin choisit la voie directe.

— Tu es une amie de Robert ? demanda-t-elle.

L'expression de la jeune fille changea du tout au tout.

— C'est toi… Robin ?

Déconcertée que la fille connaisse son prénom, Robin acquiesça.

— Viens, entrons, l'invita Esmeralda.

C'était une matinée froide et nuageuse. Une foule bruyante se pressait autour de l'échafaud. Robin se trouvait au sommet de la muraille, à l'endroit d'où l'on voyait le mieux le nœud coulant, son arc dissimulé dans un ballot. Un petit groupe lui tenait compagnie. Des cavaliers se tenaient en rang près de la potence. Robin se demanda si l'un d'entre eux était responsable du massacre de Wellfield. Comme prévu, ils étaient alignés de façon à créer un couloir libre – celui-ci couvert de paille – dans la cohue. Le condamné viendrait par là. Un profond roulement de tambour annonça son arrivée. L'attroupement ondula comme une vague. Le bourreau se leva.

Robin inspira et retint son souffle. Elle vit apparaître Robert, escorté par le shérif et trois gardes. Et, fermant la marche, le Chevalier du Dragon. Robin se sentit suffoquer. Son instinct lui souffla de saisir l'arc pour accomplir sa promesse une bonne fois pour toutes. Mais ses yeux revinrent se poser sur Robert. Son visage était tuméfié. On avait dû le rouer de coups. Un sentiment de culpabilité l'assaillit, qu'elle chassa aussitôt. Elle devait avoir les idées claires.

Le roulement de tambour augmenta d'intensité. Un gamin sauta sur l'échafaud et se mit à faire des grimaces à l'adresse du condamné ; le bourreau le fit dégager d'un coup de pied. Quelqu'un cracha sur Robert.

Celui-ci s'arrêta pour s'essuyer, vit Esmeralda et la salua d'un geste las. Elle répondit par un clin d'œil. Un garde le poussa d'une bourrade tout en le houspillant.

Les yeux de Robin revinrent au Chevalier du Dragon.

— C'est qui, celui-là ? demanda-t-elle à Cheveux Blancs.

— Percy Brooke. La malédiction de cette ville. Au service des Talbot.

Robert était en train de monter vers la potence.

— Maintenant, fit Cheveux Blancs.

— Pas encore… dit Robin.

Le bourreau plaça le tabouret de bois sous la corde et fit signe à Robert de s'approcher. Impassible, celui-ci obtempéra. Robin cessa de voir la place, la ville, la foule. Elle cessa de voir les cavaliers, les armes et même Robert. Elle ne voyait plus que la corde. Elle l'avait bien étudiée. Une corde épaisse.

— Filez d'ici ! retentit la voix d'un garde qui s'approchait d'eux. Vous ne pouvez pas rester là !

— Juste un instant, protesta Cheveux Blancs. Vous n'allez pas nous faire partir juste au moment où ils vont le pendre.

Le garde marmonna une réponse que Robin ne comprit pas.

— Il s'en va, mais il nous tient à l'œil, lui murmura Cheveux Blancs. (Et il ajouta à l'adresse des autres :) Dissimulons Robin pour qu'il ne la voie pas.

Sans quitter la corde des yeux, Robin fit glisser l'étui qui enveloppait son arc et son carquois et prit trois flèches dans celui-ci.

Le bourreau fit monter Robert sur le tabouret. Robin encocha la première, la deuxième et la troisième flèche. Pour cette corde, un tir multiple était nécessaire. Elle n'avait pas le droit à l'erreur. Le bourreau passa le nœud coulant autour du cou de Robert. Robin banda son arc, visa. Le bourreau serra le nœud.

— Exécution ! tonna le Chevalier du Dragon.

Le bourreau tendit le pied, prêt à faire tomber le tabouret, afin que Robert, dans sa chute, soit étranglé par le nœud coulant, le cou brisé.

Pas même un shilling

Quand le bourreau envoya valser le tabouret d'un coup de pied, Robin décocha les trois flèches. Les traits jaillirent dans les airs. La corde se tendit et le nœud coulant se resserra autour du cou de Robert. Les flèches frappèrent en plein dans le mille, déchirant la corde. Robert atterrit devant le bourreau. Robin respira de nouveau.

Devant les cavaliers, la paille du passage s'embrasa. Les chevaux s'emballèrent. Dans la foule, certains acclamaient les chevaliers, d'autres le condamné. Robin prit une nouvelle flèche, prête à viser le Chevalier du Dragon, mais elle ne savait où frapper. Le heaume, la cotte de mailles, les jambières, les cuissards et les plaques de métal le rendaient invulnérable.

Cheveux Blancs lui passa une corde. Renonçant à tirer, elle l'aida à la dérouler jusqu'au pied de la muraille.

— Par ici ! hurla-t-elle à Robert.

Il vit la corde et courut vers le mur. Le bourreau voulut l'arrêter, mais le garçon l'esquiva.

— Il s'échappe ! cria quelqu'un.

Robert attrapa la corde et se mit à grimper.

— Occupez-vous du condamné ! tonna le Chevalier du Dragon.

Les gens riaient, criaient, se bousculaient. On aurait dit une vague agitée par un ressac en folie qui les poussait contre les cavaliers. Les chevaux, coincés entre les flammes et la foule, hennissaient et piaffaient.

Cheveux Blancs, Barbe Rousse et tous ceux de la brasserie qui étaient avec Robin décampèrent en hurlant.

— À l'aide ! Au feu !

Comme prévu, ils se précipitèrent en direction des gardes et les entraînèrent avec eux.

— Tuez le fugitif ! ordonna le Chevalier du Dragon.

Il maîtrisait son cheval et tentait de se frayer un chemin parmi la cohue sans se préoccuper de ceux qu'il renversait.

Robert parvint au sommet des murailles. Robin le prit par la main, le conduisit de l'autre côté et lui montra le fossé.

— Saute !

— Tirez ! Maintenant ! retentit la voix du Chevalier du Dragon.

Robin et Robert se jetèrent dans le vide et entendirent des flèches siffler au-dessus d'eux. L'eau du fossé était glaciale et sale. Ils gagnèrent l'autre côté à la nage, transis. Une jument les attendait, sellée et attachée à un arbre. Elle était en train de manger l'avoine que quelqu'un avait mise à sa disposition.

— Mais comment diable as-tu fait ça ?
— On file. Notre Lady n'a aucune chance contre nos poursuivants.

Robert poussait Lady au galop à travers la plaine qui séparait Shelford de la forêt sur la colline. Derrière lui, Robin se retourna vers la ville. Un nuage de poussière voltigeait devant les portes.
— Ils sont sortis. Hâtons-nous.
Robert éperonna de nouveau la jument. La forêt leur semblait si lointaine.
— Ils nous ont vus ! le prévint Robin.

La forêt les accueillit. Ils continuèrent encore un peu, s'arrêtèrent au tronc creux, descendirent de cheval, récupérèrent le sac et l'arc de Robert. Robin assena deux tapes sur la croupe de Lady qui repartit au galop vers la ville, comme on les en avait prévenus.
— Dépêchons-nous, fit Robert.
Ils se mirent à courir. Ils zigzaguèrent, se hissèrent dans les arbres et, à plusieurs reprises, parcoururent un bon bout de chemin sans redescendre à terre. Le vent leur apportait le bruit des sabots et les cris des cavaliers. Ils suivirent la rive d'un fleuve, toujours au pas de course. Quand le soleil fut haut dans le ciel, ils couraient encore. Robin se rendit compte qu'elle n'avait pas aussi peur qu'elle l'aurait dû. Elle savait que la forêt les protégerait.

Ils coururent jusqu'à la tombée du jour. Ils n'entendaient plus de hennissements et de sabots depuis un moment. Ils étaient épuisés, mais ne s'arrêtèrent pas. Lorsque vint l'obscurité, ils ralentirent l'allure en espérant que les cavaliers ne parviendraient pas à repérer leurs traces. À un moment donné, Robin fit halte.

— Là, dit-elle.

Un éperon rocheux dissimulait une cavité. Ils s'y faufilèrent. Robert sortit la viande séchée, l'hydromel et le briquet de son sac, qu'il déchira en deux. Il en donna une moitié à Robin pour qu'elle s'en enveloppe et se couvrit de l'autre. Le froid était vif. Ils se partagèrent la viande séchée et finirent l'hydromel. Ils étaient à bout de forces.

— Merci, murmura Robert après avoir avalé une première bouchée qui le réconforta.

— Tu me l'as déjà dit. C'est inutile. C'est moi qui t'ai fourré dans ce guêpier.

— Et tu aurais pu m'y laisser. À présent, on est quittes. Tu ne me dois plus aucun service, sauf si tu as envie de m'en rendre un.

Une étrange chaleur envahit Robin, semblable à celle qu'elle avait éprouvée la première fois qu'elle avait vu Robert.

— Maintenant, on a besoin de repos, dit-il en changeant de sujet.

Ils achevèrent leur repas et s'écroulèrent.

Wellfield brûlait. Son père courait vers elle, le visage empreint de terreur. La flèche l'arrêtait net. Le Chevalier du Dragon levait son épée pour lui assener le coup de grâce. Il interrompait son geste. Relevait son heaume et révélait un visage dépourvu de traits. Sa voix résonnait : « Tu ne réussiras jamais. »

Robin ouvrit grand les yeux, bien réveillée.

— Tu ne dors jamais une nuit d'affilée ? demanda Robert.

— Toi non plus, on dirait, observa-t-elle.

Ils restèrent immobiles.

— Esmeralda m'a expliqué que Francis va vendre le calice pour acheter des graines de blé de mars et les distribuer aux paysans ruinés par l'inondation qui a détruit les premières semences. Plus d'un village par ici survivra grâce à ce blé. Et j'ai aussi appris que tu n'as pas même pris un shilling.

Le garçon ne réagit pas.

— Tu aurais pu me le dire, insista Robin.

— Tu aurais pu me le demander.

Ils se turent de nouveau. Robin tremblait de froid et Robert la prit entre ses bras. Elle se sentit gagnée par une chaleur inédite.

— Nombre d'entre eux m'ont aidée, dit-elle.

— Je parie que le plan était de toi, répliqua Robert.

— Oui, admit-elle, tout en sentant la chaleur de son étreinte. Mais c'est Esmeralda qui a mis le feu à la paille, Francis Cheveux Blancs et Jack Barbe Rousse étaient avec moi sur la muraille pour distraire les gardes, d'autres que je ne connais même pas se trouvaient dans la foule pour faire obstacle aux cavaliers. Beaucoup de gens t'apprécient par ici.

— Pas tous, j'imagine, étant donné la fin que quelques-uns avaient prévue pour moi, ricana Robert.

— Les coupes aussi, tu les avais volées pour eux ?

— Pour eux et pour d'autres. (Et d'un ton sérieux, il ajouta :) J'ai vu ton chevalier. Tu veux m'expliquer ?

Ils restèrent dans les bras l'un de l'autre. Robin lui raconta tout, et pour la première fois elle parla à cœur ouvert. Son père qui sentait bon la forêt, sa mère si douce, et Philip que la prison avait tellement changé. Elle lui dit à quel point sa famille était merveilleuse. Jusqu'à la nuit où Wellfield avait brûlé. Elle lui raconta aussi tout ce qui était arrivé cette nuit-là. Son réveil dans le puits et comment l'ordre du père de s'y cacher lui avait sauvé la vie, le moment où elle avait mis en terre ses parents et ses amis du village. Robert lui caressa les cheveux. Robin évoqua la promesse qu'elle avait faite sur la tombe des siens et comment sur la muraille elle n'avait pu la tenir. Le garçon soupira.

— J'en suis honoré, murmura-t-il.

— Hein ?

— Tu as renoncé à ta promesse pour me faire échapper.

Robin sentit le souffle lui manquer, mais le visage d'Esmeralda apparut dans son esprit. Elle s'écarta.

— À dire vrai, je ne savais pas comment frapper à mort le chevalier, avoua-t-elle. Il est couvert de métal de la tête aux pieds.

— Si un jour tu le retrouves sur ta route, vise son heaume, dans la fente pour les yeux. C'est difficile, mais pas impossible.

La vérité sur le clan

L'aube était lointaine, la forêt avait encore le goût de la nuit et Robin était déjà en mouvement. Elle avait laissé son ami peu de temps auparavant et revenait sur leurs pas pour brouiller leur piste. Ils devaient se retrouver au ruisseau où ils s'étaient désaltérés à l'aller, et de là, ils poursuivraient leur route dans l'eau. Ils faisaient l'impossible pour dissimuler leurs traces et ne pas entraîner les cavaliers vers le Château du clan ou les refuges de Robert. Ils ignoraient si leurs stratagèmes allaient fonctionner, mais ils avaient bon espoir. Robin parvint à l'endroit indiqué. Robert s'y trouvait déjà.

— Crois-tu qu'ils nous suivent encore ? lui demanda-t-elle.

— C'est certain. Il y a sûrement une grosse prime sur ma tête. Et s'ils t'ont vue, sur la tienne aussi.

— Martin et Gilbert en crèveraient d'envie, plaisanta Robin.

Ils rirent, ôtèrent leurs bottes de feutre et, les tenant à la main, entrèrent dans l'eau. Elle était glacée. Leurs pieds rougirent aussitôt.

— Tu ne crois pas que les membres du clan mériteraient de connaître la vérité ? Pourquoi ne t'es-tu pas battu pour rester quand Will t'a chassé ?

Il haussa les épaules.

— Au début, Will et moi on était amis. Un jour on a rencontré Martin et Gilbert qui sont restés avec nous. Mais plus le clan grossissait, plus Will devenait autoritaire, méfiant, agressif. Il était – il est – doué pour certaines choses, et les autres lui faisaient confiance. Le trésor, on l'a bâti ensemble, avec le temps, quelques péages, quelques coups de chance, quelques vols. Parfois, Will exagérait. Quand je lui ai demandé de vendre quelques coupes pour aider les paysans de la vallée de Went, il a refusé. Je les ai prises quand même. Et il m'a chassé. Je suis parti, je me suis éloigné pendant un bout de temps, j'ai vécu çà et là, dans la campagne et dans quelques villes, mais la forêt me manquait et je suis revenu.

— Je ne comprends toujours pas pourquoi tu n'as pas parlé aux autres.

— Je ne sais pas. Jusqu'à ce que tu me le dises, j'ignorais qu'on m'accusait d'avoir dérobé le trésor. Je croyais qu'on m'en voulait pour les coupes. Et puis le clan est trop « fermé ». Ne plus me plier aux règles de Will est un soulagement.

— Tu entends quelque chose ? demanda Robin au bout d'un moment.

Robert s'accroupit aussitôt, sur ses gardes.

— Rien, fit-il perplexe.

— C'est vrai, moi non plus. Ils ont peut-être renoncé à nous suivre.

— J'en doute.

— On descend vers le sud ?

— Tu ne veux pas aller à York ? s'étonna Robert.

— J'irai lorsque j'aurai réglé mes comptes avec le Chevalier du Dragon et tous ceux qui le méritent.

Quand son frère lui avait raconté son histoire, elle avait pensé que l'attaque du village avait été ordonnée par cette lady Berniece qui avait pris Philip pour le voleur du médaillon. Toutefois, elle n'en était pas certaine. Faire massacrer tant de gens pour un malheureux objet, cela n'avait pas de sens. Robin voulait comprendre le véritable motif de cette attaque, savoir pourquoi les siens étaient morts de cette façon atroce. Et la seule personne qui puisse l'aider était celui qui en savait le plus sur le médaillon : Mud.

Les premières lueurs de l'aube illuminèrent la forêt.

— Je ne sens plus mes pieds, soupira Robin. Sortons de l'eau.

En milieu de matinée, Robin et Robert remarquèrent des empreintes récentes laissées par deux personnes qui se déplaçaient à pied. Il ne s'agissait pas de sabots, mais cela les inquiéta tout de même. Au coucher du soleil, ils découvrirent une petite caverne où passer la nuit. Ils s'allongèrent, épuisés et affamés. Ils n'avaient pas trouvé de fruits, leurs provisions étaient terminées, et ils n'avaient pas voulu chasser pour ne pas allumer un feu qui aurait révélé leur présence.

Ses cauchemars habituels réveillèrent Robin. Mais quand elle ouvrit les yeux, elle sentit quelque chose d'étrange. Elle tendit l'oreille. N'entendit rien. Attendit un peu, sur le qui-vive, mais cette sensation désagréable ne la quittait pas. Elle allongea le bras, attrapa son arc et son carquois, et sortit sans réveiller Robert. Le vent soufflait fort. Un froissement se fit entendre entre les arbres. Elle encocha une flèche et avança en silence. Elle se tapit derrière un haut buisson, leva l'arc et pointa la flèche vers l'origine du bruit.

— Baisse ton arme ! Vous êtes encerclés ! retentit une voix.

Enfants de la forêt

Robin sursauta.

— Mud ?! s'exclama-t-elle.

— Robin ! Bon sang, Robin ! répondit la voix.

Braelyn et Mud sortirent de derrière un arbre, et elle du buisson.

— Mais que faites-vous... ?

— On te cherchait ! s'exclama Braelyn.

Elles s'étreignirent dans l'obscurité. Robin se rendit compte que son amie n'était plus « emmaillotée ».

— Bryce ??? fit-elle.

— Tu peux l'appeler par son nom, dit Mud.

— Tu es au courant !?

— Et ce n'est pas le seul, s'exclama Braelyn. Mais peu importe. Comment ça s'est passé ? Où est ton frère ?

— Il est libre... en route vers York, répondit fièrement Robin. Comment m'avez-vous trouvée ?

— Un forgeron qu'on n'a jamais vu apparaît et toi tu sais tout à coup où se trouve Philip, s'esclaffa Braelyn. Il m'a suffi de lui parler.

Robin sourit.

— Robin ? fit la voix de Robert.

Il apparut un instant après et les deux jeunes du clan restèrent pétrifiés.

— Pourquoi est-il là, *lui* ? demanda Braelyn, en prononçant le mot « lui » du ton que Will utilisait pour dire « fille ».

— Mud, Braelyn ! On a un tas de choses à se raconter, coupa Robin.

— Braelyn ? s'étonna Robert.

— Occupe-toi de tes oignons ! cracha-t-elle.

Et ils se dirigèrent vers la caverne.

Braelyn sortit une lanterne de son sac, l'alluma et lança un regard mauvais à Robert.

— Tu ne m'as pas autorisée à t'accompagner, mais tu voyages avec *lui*… marmonna-t-elle.

Robin leur parla du trésor secret de Will et de ses mensonges, des coupes que Robert avait dérobées et vendues, du calice qu'elle avait pris et que Robert avait échangé contre des graines, de l'évasion de Philip et de leur fuite. Au fil de son récit, elle vit la stupeur, la colère et l'embarras se peindre sur le visage de ses amis.

Quand Robin se tut, Braelyn soupira et regarda Robert.

— Tu as dû nous prendre pour des idiots avec un pois chiche à la place du cerveau.

— Si je m'étais accordé le temps de la réflexion, je serais sûrement arrivé à ce genre de conclusion, plaisanta-t-il.

— Je suis désolé, ajouta Mud en lui tendant la main. Je n'aurais pas dû croire Will.

Les deux garçons se serrèrent la main et Robin se détendit.

— Maintenant je comprends pourquoi Will est devenu fou furieux quand il a cru que vous vous étiez ligués contre lui. Il nous a chassés parce qu'il craignait d'être découvert, reprit Braelyn.

— Chassés ? Vous ? s'écria Robin.

Braelyn raconta la bagarre avec le Blond.

— Quand nous sommes retournés au Château, il ne restait que le forgeron et sa famille. On a emporté des provisions, on les a accompagnés jusqu'à la Grande Route du Nord et on est venus à Shelford.

— On a tardé plus que prévu et quand on est arrivés, les portes étaient fermées, continua Mud. Un homme qui attendait qu'on les rouvre nous a parlé d'une pendaison ratée et de cavaliers partis à la recherche de fugitifs. On a pensé que tu avais réussi à faire échapper Philip et on est revenus sur nos pas. Puis on a repéré des traces.

— Pas très bien dissimulées, médita Robin.

— On utilise les mêmes trucs ! commenta Braelyn. Donc, te sachant poursuivie, on a laissé de fausses pistes…

Robin remarqua que Braelyn et Mud étaient toujours les mêmes. La révélation de Braelyn n'avait pas entamé leur amitié. Et la jeune fille semblait bien plus épanouie. Elle n'était pas différente de quand elle était Bryce : mêmes vêtements, mêmes mouvements, mais son visage n'était plus barbouillé pour simuler une barbe, et son regard vif brillait encore plus, surtout quand il se posait sur Mud.

Le jour se levait. Braelyn fouilla dans son sac et en sortit de la viande séchée.

— Petit déjeuner ! annonça-t-elle, et elle servit Robert en premier. Mais je ne comprends toujours pas pourquoi tu n'es pas allée avec Philip, ajouta-t-elle en tendant une tranche à son amie.

Robin ne répondit pas aussitôt. Les deux jeunes du clan la dévisageaient dans l'attente d'une réponse.

— J'ai découvert des choses, commença-t-elle après avoir avalé une bouchée. La raison de l'attaque sur Wellfield, de la mort de mes parents, de la capture de mon frère, c'est… (Elle s'interrompit, sortit le médaillon de dessous sa tunique et le leur montra.) C'est ce médaillon.

— Pardon ? murmura Mud, perplexe.

Robin leur fit part de ce que lui avait dit Philip et de ses propres déductions. Puis elle tendit le bijou à Mud.

— Tu te rappelles quelque chose du jour où tu l'as trouvé ? demanda-t-elle.

Il poussa un profond soupir.

— Du plus loin que je m'en souvienne, je l'ai toujours eu, mais… (Il s'interrompit pour se perdre dans les images du passé.) Edgard, l'homme qui m'a élevé, était braconnier. Il m'avait trouvé dans la forêt, il m'aimait beaucoup. Si nous avions de quoi vivre, nous n'avions certainement pas les moyens d'avoir un bijou. Il n'a jamais voulu le vendre parce qu'il disait qu'il était à moi…

Mud se tut. Il fixa les yeux sur le médaillon et resta silencieux.

— Et pourtant… fit-il à part soi.

— Et pourtant quoi ? demanda Braelyn.

— Je fais souvent le même rêve. Une femme, très belle, avec des yeux verts. La robe qu'elle porte est de la même couleur, elle semble douce. Elle a le médaillon autour du cou et une gemme bleue au doigt. Elle vient vers moi, légère, comme si elle volait. Elle me sourit, se penche vers moi, enlève le médaillon de son cou et me le donne.

L'air très grave, Braelyn éteignit la lanterne.

— Et ensuite ? demanda-t-elle.

— Et ensuite rien, répondit Mud. Toutefois, il n'est guère probable qu'Edgard ait connu une femme comme elle.

Robin pensa que Mud comme Philip étaient deux fils de la forêt, deux enfants trouvés. Cela avait peut-être un sens, mais pour l'instant, elle ne voyait pas lequel.

Le silence retomba. Robert, qui avait tout écouté avec attention, s'adressa à Mud.

— Avec Edgard, tu vivais à Hollyden, près de Tutbury, n'est-ce pas ? s'enquit-il.

Mud acquiesça.

— Quelqu'un parmi ceux que vous connaissiez pourrait être au courant de l'histoire du médaillon ?

Mud réfléchit un instant.

— Je ne peux pas l'exclure.

Robin sentit renaître l'espoir.

Hollyden

Ils parvinrent à Hollyden le lendemain après-midi. Robin vit le village dès qu'elle sortit de la forêt et eut l'impression d'être précipitée dans le passé. Il ressemblait beaucoup au sien, c'étaient les mêmes masures qu'à Wellfield, les mêmes odeurs, la même atmosphère.

Ils s'engagèrent dans la rue principale. Mud regarda autour de lui, perdu dans on ne sait quels souvenirs. Un groupe d'hommes rassemblés devant une maison les aperçut.

— Qui va là ? cria celui qui paraissait le plus menaçant et le plus soupçonneux.

— Des amis, répondit Mud en s'approchant pour mieux les regarder.

Le plus âgé, un type petit et trapu, avec des touffes de cheveux blancs sur les tempes, se donna une tape sur la tête, tendit les bras et émit un grognement étouffé.

— Que la peste m'emporte si ce n'est pas le fils du braconnier !

— Mud, fils d'Edgard ! Est-ce vraiment toi ? fit un autre en écho.

— Fred ! Owen ! C'est bien moi ! s'exclama Mud en se précipitant vers eux.

Le chaos régnait dans la grange, transformée pour l'occasion en une absurde salle des fêtes. Certains avaient apporté de quoi manger, d'autres de quoi boire. Tous avaient envie de saluer Mud et de faire la connaissance de ses amis. Des enfants couraient et jouaient, tandis que leurs parents échangeaient des propos avec les hôtes, entre une bière et une autre.

— Edgard était un ours. Un sale caractère. Il n'y a que toi qui aies réussi à l'amadouer, glapit Margaret, une grosse femme vautrée sur deux bottes de foin.

— C'est vrai, confirma Geoffrey, son mari filiforme, debout près d'elle. Quand il t'a trouvé dans la forêt et ramené chez lui, c'est la première fois où je l'ai vu sourire.

— Vous auriez dû le voir, intervint Owen, l'homme chauve avec les touffes blanches. Petit, toujours couvert de boue et puant. Avec ce sourcil fendu et ses grands yeux toujours attentifs, il mangeait comme dix loups !

Tandis que chacun y allait de son anecdote, Mud et Robin se regardèrent.

— L'un d'entre vous sait-il quelque chose à propos de ce médaillon ? demanda Mud alors que Robin le leur montrait.

— Certes ! C'est ton médaillon ! Pourquoi c'est elle qui l'a ? dit Fred d'un air entendu.

— Je le lui ai donné, coupa Mud.

— Edgard en était si fier. Moi, je lui disais de le vendre ! Il en aurait tiré une fortune. Mais lui, il ne voulait pas. Quelle tête de mule ! fit Margaret.

— J'aimerais savoir si c'est lui qui me l'a offert. Et sinon, qui d'autre ?

Le silence tomba dans la grange et Robin comprit que personne n'en avait la moindre idée. Mais les hypothèses fusèrent aussitôt.

— Peut-être qu'Edgard l'a dérobé à un richard pour garantir ton avenir, hasarda une vieille femme.

— Mmm... je ne saurais te dire, mais peut-être devrais-je le savoir, marmonna le filiforme Geoffrey.

— Pas la peine, mon mari ! le rabroua Margaret. Peut-être l'a-t-il trouvé dans la forêt.

— Ou gagné aux dés, ajouta Fred.

— Pourtant... réfléchit de nouveau Geoffrey.

Robin et Mud échangèrent un regard. Les suggestions des villageois devenaient de plus en plus improbables et fantaisistes. Robin cherchait à dissimuler sa déception. Du regard, elle invita Mud à profiter de la soirée et alla s'asseoir sur une botte de foin loin des autres. Peu après, Robert la rejoignit.

Ils étaient tous partis. Les jeunes avaient été invités à passer la nuit dans la grange. Fred avait apporté deux peaux. Allongés sur le foin, Robin et Braelyn en partageaient une, Robert et Mud l'autre.

— Nous pourrions retourner dans la forêt à présent, proposa Mud. J'aimerais éclaircir la situation avec Ewart et les frères.

Quelqu'un frappa à la porte de la grange.

Au Château en plein milieu de la forêt, Ewart, Martin et Gilbert profitaient de l'absence de Will.

— Cette affaire ne me plaît pas. Je crois qu'il y a là-dessous beaucoup plus que ce qu'il nous a raconté, soupçonna Ewart.

Martin soupira.

— Que Bryce soit une fille… et que je ne m'en sois jamais aperçu ! murmura-t-il. Cela semble impossible. Et dire qu'une fois… je lui ai même donné un coup de poing.

— Vous croyez que ce forgeron et Robert ont quelque chose à voir là-dedans ? demanda Gilbert.

— Je n'en ai aucune idée. Mais je ne m'explique vraiment pas que tous trois aient décidé de s'en aller sans dire un mot, déclara Ewart, qui, après réflexion, ajouta : Sauf si Robin a trouvé le chevalier qu'elle recherchait, et que Mud et Bryce… Braelyn l'aient accompagnée. De toute façon, on n'a pas d'alternative : soit on les attend, soit on part à leur recherche, conclut Ewart, manifestement peu convaincu par l'une ou l'autre des deux options.

La voix de Will retentit dans la clairière.

— Les gars, j'ai besoin d'un coup de main !

— Ou alors on peut essayer d'en reparler avec lui, proposa Martin en se dirigeant vers la sortie.

Les deux autres le suivirent.

— Il a dit et répété qu'il ne voulait plus entendre parler d'eux, marmonna Ewart.

Il aurait donné n'importe quoi pour comprendre ce qui arrivait. Il se faufila en dernier entre les ronces. Quand il en sortit, il se retrouva en plein cauchemar. Gilbert et Martin, pétrifiés, avaient les mains en l'air. Will, au centre de la clairière, affichait un sourire mauvais et satisfait. Il portait la cotte de mailles qui avait fait partie de leur trésor. Autour de lui, une dizaine de cavaliers en armes les tenaient en respect.

— Ils sont tous là ? demanda l'un d'entre eux.

Ewart comprit aussitôt de qui il s'agissait. Son cheval portait un caparaçon vert avec un dragon rouge. Le chevalier de Robin.

— Tous ceux qui restent, répondit Will.

— Les primes sont à toi, lui dit le chevalier.

— Ça, tu me le paieras, cracha Ewart à l'adresse de Will.

— Et comment ? rit ce dernier. Tu vas te balancer au bout d'une corde, et moi, je vais devenir chevalier.

— Il nous faut d'abord trouver les autres, dit le Chevalier du Dragon.

Il fit un signe à ses hommes. Trois d'entre eux descendirent de cheval et ligotèrent les prisonniers. Quand il sentit la corde se serrer autour de son torse, Ewart inspira le plus possible et retint son souffle.

— Geoffrey ! s'exclama Mud en ouvrant la porte et en reconnaissant l'homme filiforme. Entre.

— Non, ma femme m'attend, commença l'hôte inattendu tandis que Robin, Robert et Braelyn les rejoignaient avec des gestes de salut. Mais un détail qui pourrait t'intéresser m'est revenu à l'esprit. Margaret prétend que ce n'est pas important, mais je préfère te le dire. Tu te souviens de Jonathan Fitz, le marchand d'étoffes ?

Mud réfléchit, l'air grave, puis acquiesça vaguement.

— Celui de... Tutbury ? Ce type élégant à outrance ?

— Tout juste ! Eh bien... lui et Edgard faisaient des affaires. Des tas de bruits couraient à propos de ce qu'ils traficotaient ensemble, mais ce n'est pas de ça qu'il s'agit.

— Et alors ? s'enquit Mud, perplexe.

— Fitz pourrait savoir quelque chose sur ton médaillon. Ce marchand était l'homme le plus riche qu'on connaissait, et le jour où Edgard t'a trouvé, il devait le voir.

Robin sentit renaître l'espoir.

— Merci d'être venu nous en parler, fit Mud.

Geoffrey haussa les épaules et se gratta la tête.

— Je ne sais pas, Margaret ne voulait pas, mais si je ne l'avais pas fait, je n'aurais pas dormi ! Bonne nuit, les jeunes, et bon voyage également, où que vous alliez.

Tandis que Mud accompagnait Geoffrey au-dehors, Robert fit un clin d'œil à Robin.

— Destination Tutbury !

Elle lui sourit.

Jonathan Fitz, le marchand

À Tutbury, la demeure du marchand attestait de sa richesse. Elle était en pierre, sur deux étages, avec un solide toit de bois. La boutique se trouvait au rez-de-chaussée. Le volet était ouvert sur l'extérieur avec plusieurs toiles disposées dessus. Un jeune garçon était en train de les enlever et de les ranger dans une caisse. Quand il eut terminé, il ferma le volet de bois en le faisant rouler sur un pivot.

— Sais-tu où est Fitz le marchand ? lui demanda Robin quand elle fut suffisamment proche.

— Dans la cour, mais il n'est pas de très bonne humeur. Venez… répondit le gamin qui souleva la caisse à grand-peine.

— Je te donne un coup de main, dit Robert.

Le gamin accepta avec gratitude. Il passa à droite de la boutique et entra dans une large cour. Il y avait là un chariot, deux robustes chevaux de trait en train de manger et une pile de caisses prêtes à être chargées.

Un homme corpulent au nez biscornu, portant une tunique bleu foncé, un collant clair, deux grosses bagues ornées de pierres précieuses à la main gauche et un chapeau voyant, houspillait un jeune apprenti osseux et fainéant.

— C'est inadmissible ! Comment ça, ils ne se sont pas présentés ?

— Moi, je sais juste qu'ils ne sont pas venus. Ce n'est pas ma faute !

Nez Biscornu leva le bras, prêt à frapper l'apprenti.

— Messire, êtes-vous Jonathan Fitz ? intervint aussitôt Robin.

Biscornu se retourna vers eux et le Fainéant en profita pour s'éclipser.

— Je n'ai pas de temps à perdre, aboya l'homme. Donc, sauf si vous avez besoin de toiles et de tissus…

Il s'interrompit au milieu de sa phrase et Robin eut l'impression qu'il étudiait leurs arcs.

— Je suis Mud, le fils adoptif d'Edgard. Vous me reconnaissez ? dit le garçon en faisant un pas en avant.

Le marchand l'observa et parut se radoucir.

— Tu as grandi… mais ce sourcil est unique. Je connaissais bien ton père, répondit-il avec un regard indéchiffrable. Que veux-tu ?

— J'ai des questions à vous poser.

— Fais vite, coupa l'homme qui jeta un deuxième coup d'œil à leurs arcs.

Robin sortit le médaillon de dessous sa tunique et le montra à Fitz.

— Nous voudrions savoir d'où vient ceci, déclara-t-elle d'une voix ferme.

Les yeux du marchand brillèrent de convoitise, comme ceux d'un loup qui a repéré un lièvre.

— Vous voulez le vendre ? Je peux vous l'acheter.

— Ce n'est pas ce que nous avons demandé, répondit Mud.

Le marchand eut un petit sourire étrange, comme s'il attendait cette réponse.

— Tu es à la recherche de tes racines ? demanda-t-il à Mud qui tressaillit, perplexe.

Braelyn et Robin échangèrent un bref regard. Le marchand savait quelque chose. À ce moment, Robert, qui avait aidé le gamin à charger les caisses, sortit de derrière le chariot et se plaça entre les deux filles. Le marchand examina son visage où les traces de coups qu'il avait reçus en prison étaient encore bien visibles.

— D'où venez-vous ? voulut-il savoir.

— Du nord-est, sourit paisiblement Robert en soutenant son regard.

Le marchand se tourna de nouveau vers Mud.

— Toi, tu veux des réponses et moi, je les connais. Mais pour que l'échange soit équitable, tu devras me donner quelque chose, dit-il, et il regarda le médaillon.

— Il n'est pas à vendre, précisa aussitôt Mud.

Le marchand prit un air déçu que Robert jugea faux.

— Je dois aller au marché de Shelford, mais je n'ai plus d'escorte, reprit l'homme. Vous savez les utiliser, ces armes ?

— Voulez-vous qu'on vous le prouve en vous prenant pour cible ? le provoqua Robert.

Le marchand ricana.

— Alors, marché conclu. Vous m'accompagnerez et vous serez à mes ordres. Quand on sera arrivés, Mud aura la moitié de ses réponses, l'autre moitié au retour.

— On aura les réponses et un certain nombre de shillings, ajouta Robert qui connaissait mieux que quiconque la vie de la ville.

Ils terminèrent de charger le chariot avec les caisses qu'ils avaient prises dans l'atelier derrière la boutique et recouvrirent l'ensemble d'une épaisse toile.

— Je ne crois pas que ce soit prudent que vous entriez à Shelford, vous deux, dit Braelyn à Robin et Robert. Ni que vous vous approchiez trop.

— Elle a raison ! acquiesça Mud.

— On va y réfléchir, répondit Robin.

Eric et Jean, les deux apprentis, sortirent de l'atelier en portant une malle énorme qui semblait très lourde. Mud et Robert firent quelques pas vers eux pour les aider, mais avant qu'ils aient pu les rejoindre, le Fainéant osseux trébucha. Le coffre tomba par terre avec un bruit sourd qui résonna dans toute la cour. Le marchand, furieux, jaillit hors de l'atelier et frappa les deux jeunes garçons avant que les autres puissent intervenir.

— Calmez-vous ! lui hurla Robin.

— Ces deux-là sont les fils du démon ! Le coffre contient les étoffes de lady Berniece et vaut bien plus que leurs personnes !

En entendant ce nom, Robin se sentit prise de vertige. Cette femme semblait être la cause de tout.

Ils cheminaient depuis longtemps dans la forêt à l'est de la Grande Route du Nord. Les deux jeunes apprentis étaient perchés sur le siège du conducteur, le marchand montait un robuste cheval pie, Robin avançait devant le chariot avec Robert, tandis que Mud et Braelyn fermaient la marche. Depuis qu'ils avaient quitté la route, Robin était en proie à d'étranges sentiments, une sorte de mauvais présage qui flottait autour d'elle. Il n'y avait aucun signe de danger imminent, pourtant on aurait dit que la forêt, avec sa symphonie d'ombre et de lumière, cherchait à la mettre en garde. Au crépuscule, Robin et Robert, comme ils le faisaient tous les trois ou quatre milles, partirent en reconnaissance.

— Regarde ! s'exclama soudain Robert en indiquant un groupe d'empreintes de sabots semblables à d'autres qu'ils avaient déjà rencontrées. Elles sont fraîches. Le soleil devait être haut quand ils sont passés.

— Ça ne me plaît pas. Qui sont-ils ? Où vont-ils ? fit Robin, l'air sombre.

— Ils se dirigent vers le nord-est. Il vaut mieux que nous descendions par le côté opposé, même si cela rallonge le chemin.

Ils retournèrent sur leurs pas, rapides et silencieux. Le marchand avait ordonné une halte sans les consulter. Le chariot était arrêté au fond d'une longue clairière et les chevaux broutaient dans un coin.

— Remettons-nous en route. L'endroit n'est pas sûr, souffla Robin à Fitz.

Pendant ce temps, Robert faisait signe à Mud de réatteler les chevaux. Le cheval pie n'était pas en vue et Braelyn non plus, mais son arc était appuyé à un arbre.

— J'ai décidé qu'on s'arrête et on s'arrêtera, brailla le marchand. Je ne vous paie pas pour que vous me donniez des ordres. Et puis…

Robert mit la main sur sa bouche.

— Dites ce que vous voulez, mais à voix basse ! lui intima-t-il. Nous avons accepté de vous escorter, pas d'y laisser notre peau ! Il y a du mouvement non loin d'ici. On doit partir.

Eric et Jean les regardaient avec les yeux écarquillés, attendant les ordres du marchand. Ils n'avaient probablement jamais vu personne traiter leur patron de la sorte.

— Je n'ai pas l'intention… commença Fitz.

Mais Robin ne le laissa pas terminer et se retourna soudain dans la direction d'où était venu le convoi.

— Filez ! hurla-t-elle en poussant les gamins vers le chariot.

Attaque

Deux flèches provenant du faîte d'un chêne sifflèrent. Robert les évita en se jetant de côté. Robin encocha et tira dans le feuillage. Du coin de l'œil, elle vit le marchand attraper Eric, le plus jeune des deux apprentis, et le placer devant son corps en guise de bouclier pour arriver sain et sauf sous le chariot.

D'autres flèches jaillirent du bas ; Mud et Robert contre-attaquèrent tout en reculant.

— Jetez vos armes ! Vous êtes encerclés ! cria une voix du haut du chêne.

Robin la reconnut aussitôt.

— Will, descends de là et bavardons ! Ce n'est pas ton territoire ici ! hurla-t-elle.

— Toute la forêt est mon territoire, maintenant ! Et vous, vous êtes recherchés ! rétorqua Will.

Deux cavaliers sortirent des feuillages. Chacun portait un heaume court, le premier avec un panache vert, le second bleu foncé. Et une cotte de maille, des gants, des jambières et des cuissards. Genoux et pieds étaient protégés par des lames d'acier. Ils avaient leurs arcs à la main et leurs épées à la ceinture. C'étaient les hommes du Chevalier du Dragon et ils les tenaient en respect.

— Baissez vos armes, ordonna celui qui avait des plumes vertes sur son heaume. Et rendez-vous !

Robin, Robert et Mud s'abritèrent derrière le chariot, prirent position et encochèrent leurs flèches. Les cavaliers réagirent en les arrosant d'une pluie de flèches. Deux autres, l'un avec une cotte courte, mais sans jambières ni cuissards, le deuxième avec une cotte longue, débouchèrent dans la clairière par les côtés.

— Dans la fente des heaumes, dit Robin en visant.

— Ce n'est pas impossible, ajouta Robert.

— Vous êtes optimistes… murmura Mud.

Ils tirèrent tous les trois, mais leurs flèches rebondirent sur les heaumes.

La riposte ne se fit pas attendre, les flèches frappèrent la toile qui recouvrait les caisses. Puis une autre pluie de flèches suivit, et encore une autre. Leurs sifflements sinistres étouffaient la voix de la forêt.

— Chargez ! cria Plumet Bleu.

Les cavaliers rangèrent les arcs sur leur dos, dégainèrent leurs épées et éperonnèrent leurs montures qui partirent au galop. Seul Cotte Longue ne bougea pas et resta à l'arrière pour les couvrir avec son arc.

— C'est terminé, murmura Mud.

Tout à coup, Braelyn déboula d'entre les arbres, allongée sur la croupe du cheval pie. Elle tenait à la main l'extrémité d'une corde qu'elle avait attachée à la base d'un buisson. Traversant la clairière au galop, elle tendit la corde et coupa la route aux ennemis qui chargeaient. Les chevaux trébuchèrent, désarçonnant leurs cavaliers, se relevèrent comme ils le pouvaient et s'enfuirent. Sous le poids de leur armure, Plumet Vert, Plumet Bleu et Cotte Courte se relevèrent à grand-peine.

— Allez sous les arbres. Ce n'est pas vous qu'ils cherchent ! hurla Robert en tirant les gamins de dessous le chariot.

Quand il voulut faire de même avec Fitz, le marchand se rebiffa.

— Laisse-moi ! cria-t-il.

Les cavaliers se mirent à courir vers eux, l'épée à la main. Mud et Robin tirèrent et évitèrent les flèches de Cotte Longue. On entendit un râle.

Les trois chevaliers étaient effroyablement proches. Une flèche de Robin rebondit sur le cuissard de Plumet Vert, celle de Robert frappa Plumet Bleu au cou, à la jonction de l'armure et du heaume. L'homme s'écroula.

Plumet Vert se rua sur Robin et essaya un fendant qu'elle esquiva en perdant sa prise sur son arc. Il se jeta de nouveau sur elle, prêt à abattre son épée ; elle l'esquiva d'un bond en arrière et lui fit perdre l'équilibre. Elle attrapa une flèche dans son carquois et la lui planta dans le poignet, entre le gant et la cotte. L'homme cria et laissa tomber son épée, mais eut la force de lui donner un coup de pied et de la jeter à terre. Elle glissa en avant, récupéra son arc et la voix de Will retentit de nouveau.

— Rendez-vous ou je la tue.

Robin leva les yeux. Et fut saisie d'horreur.

Les dernières paroles

De l'autre côté de la clairière, Will appuyait un couteau contre la gorge de Braelyn.

Mud se battait au corps à corps avec Cotte Courte. Robert encocha sa flèche et banda son arc, le regard glacial et déterminé. Il visait le visage de son ancien ami.

— Ne m'oblige pas à le faire. Tu es plus grand qu'elle et je te toucherai à coup sûr. Lâche-la ! hurla-t-il.

— Le temps que ta flèche arrive, je l'aurai déjà tuée ! cria Will. Rendez-vous !

Cotte Longue visait Robert qui visait Will mais ne tirait pas, craignant de toucher Braelyn. D'instinct, Robin tira et attendit. Sa flèche atteignit le chevalier à la cuisse un instant avant qu'il ne décoche une flèche.

— Dernier avertissement, hurla le Blond qui pressa sa lame sur la gorge de Braelyn.

Robin tendit la main vers son carquois… vide !

Braelyn cria. Peu après, le Blond s'affala sur elle, frappé dans le dos par une flèche qui venait des buissons. Robin eut à peine le temps de se rendre compte que Plumet Vert avait arraché la flèche de son poignet et la frappait à la tête avec la garde de son épée. Elle s'effondra et se débattit au hasard. Elle entendit l'épée tomber et aussitôt après sentit la main du chevalier autour de sa gorge.

Elle tenta encore de se débattre, en vain. Elle étouffait et chercha une pierre à tâtons. Elle sentit une flèche sous sa paume. À l'aveugle, se laissant guider par la lourde respiration de son agresseur, elle la planta droit devant elle. Il relâcha sa prise et s'écroula sur elle.

Robin put de nouveau respirer ; voir également, un instant plus tard. Sa flèche était plantée dans la fente du heaume de Plumet Vert, qui en avait une deuxième enfoncée dans la gorge.

Puis elle vit Braelyn, vivante, légèrement blessée au cou et brandissant l'arc de Will. À côté d'elle gisait Cotte Courte, frappé par une de ses flèches. Quelqu'un avait atteint Cotte Longue dans la fente de son heaume, probablement Robert. Mud était en train de se relever.

Robin se remit debout et se tourna vers les buissons, d'où étaient parties les flèches qui avaient atteint Will et Plumet Vert.

— Qui que tu sois, ami, montre-toi !

Ewart émergea de derrière le chêne.

— Toi ?! s'exclama-t-elle. Mais que… ?

Un râle sous le chariot attira son attention.

Le marchand respirait avec peine. Mud essayait de le faire boire, tandis que Robert examinait sa blessure à la poitrine. Le garçon regarda Robin et secoua la tête.

Fitz essaya de parler. Il toussa, crachant du sang. Il but et riva son regard sur Mud.

— Le médaillon…

Il toussa encore.

— Ne vous fatiguez pas, dit Mud.

Le marchand toussa et cracha plus de sang.

— Tu l'avais autour du cou quand Edgard… t'a acheté… à… Tho… à Thomas Skatlock… l'homme qui dev… qui devait… te tuer pour… hoqueta-t-il entre deux quintes de toux. Shelford lady Berniece… elle…

Il poussa son dernier soupir.

Robin mit un moment à retrouver les deux jeunes apprentis. Ils étaient dissimulés derrière un buisson et tremblaient de tous leurs membres. Elle leur donna les pièces que le marchand avait sur lui et son cheval pie.

— Saurez-vous retourner seuls à Tutbury ?

— Oui, mais maître Fitz… ?

Robin secoua la tête.

— Je suis désolée.

Les deux apprentis n'insistèrent pas, montèrent sur le cheval et s'éloignèrent. Robin retourna vers les autres qui achevaient d'ensevelir les morts.

Le silence du soir, après les cris de la bataille, semblait plus profond, comme s'il contenait les hurlements, la douleur, le sifflement des flèches et le bruit des épées. Robin était assise entre Robert et Ewart. Mud, l'expression lugubre, avait passé le bras autour des épaules de Braelyn.

— Je suis désolée, s'excusa-t-elle. Will m'a attrapée par-derrière. Je ne l'ai pas entendu arriver. Je cherchais un moyen de récupérer mon arc et…

— … et la manœuvre de la corde a été géniale. Si tu n'avais pas eu cette idée, nous n'aurions jamais réussi à repousser l'attaque, lui dit Robert.

— Qu'est-il arrivé au clan ? demanda Robin à Ewart qui n'avait pas encore ouvert la bouche.

Qu'il ait tiré sur le Blond avait sauvé Braelyn, mais à l'évidence, cela lui avait beaucoup coûté.

— Will nous a vendus à ton chevalier, Robin, celui qui a un dragon sur son caparaçon vert. Il a touché nos primes. Quand on nous a attachés, moi, j'ai gonflé les poumons et retenu mon souffle pour paraître plus gros. Ensuite, j'ai expiré tout l'air, les cordes se sont relâchées et je me suis échappé. Mais je n'ai pas pu aider Martin et Gilbert.

— Où sont-ils ? demanda Mud.

— À la prison de Shelford, là où nous finirons tous tôt ou tard.

Une larme silencieuse coula sur sa joue. Braelyn posa la main sur son épaule.

— D'autres sont sur nos traces, alors, réfléchit Robert.

— Je ne crois pas. Ils s'étaient divisés en deux groupes. Celui qui suivait le chevalier de Robin s'est dirigé vers Shelford, l'autre, c'est celui que vous avez rencontré. Le type qui me pistait... eh bien... l'arc que j'utilise est le sien. Une fois débarrassé de lui, je me suis lancé sur les traces de Will. Je l'ai rejoint au moment où ils vous attaquaient. J'ai guetté une occasion pour intervenir et j'ai vu Will sauter sur Braelyn. (Il s'interrompit et baissa la tête pour empêcher une deuxième larme de couler.) Je n'aurais jamais pensé que ça finirait comme ça.

— Tu sais que je m'appelle Braelyn ? fit la jeune fille.

— Will nous l'a dit.

Le silence tomba dans l'obscurité. Robin se sentit coupable.

— Will avait raison. Si vous ne m'aviez pas accueillie dans le clan, je n'aurais pas amené le Chevalier du Dragon jusqu'à vous. Et peut-être que si je n'avais pas pris ce calice... songea-t-elle à haute voix.

— Bon sang, Robin ! s'emporta Ewart, élevant la voix pour la première fois depuis que Robin le connaissait. Si Will ne vous avait pas chassés, s'il ne nous avait pas vendus, rien de tout cela ne serait arrivé.

Robin était réveillée depuis un petit moment. Elle s'était éloignée et assise par terre, abîmée dans ses pensées. L'histoire de Mud et la sienne ne recevraient de réponse que de Lady Berniece, à Shelford, là où se trouvait le Chevalier du Dragon. Et Martin et Gilbert.

Mais ils étaient tous recherchés là-bas. Quelqu'un posa la main sur son épaule et elle sursauta. Robert lui sourit. Mud apparut derrière lui.

— Destination Shelford ?

— C'est une folie, et qui n'est nécessaire que pour moi. Je ne crois pas que tous… réfléchit Robin.

— On parie ? coupa Robert.

— Moi je suis des vôtres… même si je m'attendais à une invitation personnelle, marmonna Ewart qui était encore allongé près du chariot.

Braelyn lui prêta main-forte.

— Tu nous as déjà lâchés une fois, je ne sais pas ce qui te pousse à croire que tu pourrais le refaire, dit-elle.

— Quel est le plan ? demanda Mud.

— Lady Berniece a nos réponses, nous on a ses étoffes, rétorqua Robin.

37

Le Grand Marché

Dans sa chambre du château de Shelford, lord Ralph Talbot, le baron, agonisait. Son fils Drogo lui tenait la main et Mary, sa nourrice, dont il n'avait jamais voulu se séparer, veillait à son chevet.

— Bientôt la baronnie t'appartiendra. Fais honneur au nom que tu portes… murmura le mourant.

— Ne dites point cela, père ! s'écria le garçon.

— Ne m'interromps pas ! ordonna le baron. Ne permets pas à ta mère de te diriger, ne lui permets rien. Ton cœur est grand, comme l'était celui de ton frère et de lady Rowena. Le sien, elle le partage avec le démon…

— Votre volonté sera la mienne, père, ménagez vos forces, chuchota Drogo.

Et il caressa ses cheveux blancs qui, à une époque, avaient été roux comme les siens.

Épuisé, le baron ferma les yeux. Il s'endormit en respirant doucement.

— Laissons-le se reposer… lui dit Mary. Et puis votre mère vous attend.

— Je ne veux pas la voir, protesta Drogo. Surtout maintenant. C'est vous qui m'avez élevé. C'est vous qui êtes ma mère.

— Ne le dites pas et ne le pensez pas. Moi, j'ai été et je resterai seulement votre nourrice.

Drogo se leva, reposa la main de son père sur le drap et sortit, suivi de la fidèle Mary.

C'était le jour du Grand Marché. La place de Shelford était noire de monde. Tel un essaim d'abeilles, la foule se pressait dans les rues qui débordaient d'étals. Çà et là, des jongleurs faisaient leur numéro et des ménestrels se mettaient au défi de raconter les histoires les plus incroyables. Aux portes de la ville, une file de chariots attendait d'entrer. Le deuxième était conduit par Mud et Braelyn. Robin, Ewart et Robert étaient cachés sous la toile, derrière le coffre et les plus grandes caisses.

L'un des gardes s'approcha.

— Qui êtes-vous ? Que vendez-vous ? s'enquit-il.

— Nous venons de Tutbury, nous sommes au service de Jonathan Fitz. Nous avons des tissus pour le marché et des étoffes précieuses pour la baronne, répondit Mud.

Le garde les examina d'un air soupçonneux.

— Je connais Fitz. Où est-il ?

— Malheureusement, il est gravement malade. Il ne pouvait manquer à la parole donnée à la baronne et nous a envoyés à sa place, mentit Braelyn.

— Montrez-moi la marchandise, ordonna le garde.

Elle descendit du chariot avec des sueurs froides, alla à l'arrière et souleva juste un petit pan de la toile qui recouvrait les caisses. Le garde aperçut les trous laissés par les flèches durant l'attaque.

— Et ceci ?

Braelyn feignit l'indifférence et tira à elle la caisse la plus proche.

— Ah… la route de Tutbury devrait être plus sûre, se plaignit-elle d'un ton tragique. Cette toile en a vu de belles durant notre voyage, ajouta-t-elle, imperturbable, tandis qu'elle ouvrait la caisse. (Elle en sortit une toile bleu foncé et la montra au garde.) Admirez-moi ça, s'écria-t-elle, alors qu'elle n'y connaissait rien. Croyez-vous que ce soit facile d'obtenir une telle couleur ? Certes, cette splendide étoffe n'est pas à la portée de toutes les bourses, mais elle peut métamorphoser un porcher en roi.

Braelyn remarqua que le garde n'observait pas le tissu mais l'intérieur du chariot. L'angoisse lui noua l'estomac de telle sorte qu'il lui sembla avoir avalé des cailloux pointus. Elle fit passer sa terreur pour de la déception.

— Cela n'est pas de votre goût ? geignit-elle. Peut-être ai-je quelque chose là-dedans qui vous plaira davantage, dit-elle en tirant une autre caisse.

— Je ne veux rien acheter. Juste décider si vous pouvez entrer, coupa sèchement le garde.

— Je sais… mais, je pourrais vous consentir un tarif de faveur… je sens qu'aujourd'hui sera une bonne journée, insista Braelyn, avec un sourire jusqu'aux oreilles et la peur au ventre.

— Je t'ai dit que je n'étais pas acheteur, marmonna le garde avec l'air de celui qui veut se débarrasser d'un vendeur insistant et importun. Allez, passez !

Braelyn remercia le ciel, remit les caisses et la toile en place, puis retourna sur le siège, tandis que l'homme allait contrôler le chariot suivant. Elle s'assit près de Mud et poussa un profond soupir pour évacuer la tension accumulée.

— Jusqu'à présent, tout va bien ! murmura-t-elle.

— J'essaierai de me souvenir de tes talents de menteuse, s'amusa Mud. J'ai trop tendance à te croire sur parole, *Bryce*, ajouta-t-il en fouettant les chevaux.

Braelyn rougit jusqu'à la racine des cheveux.

— Je ne t'ai jamais menti, mis à part le détail négligeable de mon prénom. Et je te jure que je ne le ferai jamais plus.

Mud lui sourit avec tendresse et elle rougit de plus belle. Il fouetta de nouveau les chevaux et ils arrivèrent sur la place ; ils s'engagèrent dans la montée menant à la porte qui séparait la cour du château du reste de la cité. À leur droite, il y avait la prison. Mud salua le garde de faction.

— Bien le bonjour, messire !

L'homme, visiblement ennuyé, répondit d'un signe de la main.

— Vous avez de nouveaux hôtes ? s'enquit Braelyn avec un sourire aussi vrai que l'or des alchimistes.

— Comme toujours ! Et vous ? Vous voulez leur tenir compagnie ? répondit-il avec un regard à donner la chair de poule.

Ils poursuivirent sans répondre. Braelyn tenta d'examiner la prison où devaient être enfermés Martin et Gilbert. Outre celui auquel ils avaient parlé, elle repéra trois gardes. Mud fouetta encore les chevaux et ils parvinrent à la deuxième porte. Là aussi ils devraient passer un contrôle.

Braelyn se prépara à répéter son numéro.

— Tu veux que je dise la vérité maintenant aussi ? dit-elle en souriant à Mud.

Elle ne lui laissa pas le temps de répondre et descendit du chariot.

Dans la cour rectangulaire devant le château, on admettait les acheteurs les plus riches et les meilleurs chariots : celui de Fitz était attendu. Un garde l'escorta jusqu'à leur périmètre, devant les écuries, entre un marchand de bière et un vendeur d'outils, puis retourna à la porte. La cour était plutôt remplie. Mud eut l'impression qu'il était déjà venu ici. Il essaya de se rappeler quand il aurait pu venir avec Edgard, en vain. Braelyn et lui allèrent à l'arrière du chariot, déplacèrent les premières caisses et, après s'être assurés que personne ne les surveillait, soulevèrent la toile, la fixant avec deux bouts de bois.

— Vous pouvez descendre maintenant, fit la voix de Braelyn.

Robin remua la première, aussitôt suivie par Robert et Ewart. Tous trois portaient une pèlerine avec une ample capuche ; ils les avaient fabriquées dans une des toiles du marchand pour dissimuler leur visage.

Robert et Ewart se saisirent du coffre qui aurait dû ne contenir que les étoffes destinées à lady Berniece. En réalité, il n'y restait que celles de la couche supérieure. Les arcs et les rares flèches qu'ils avaient réussi à récupérer étaient dissimulés dans le fond.

Robin descendit du chariot après les garçons et examina la cour. Le château, flanqué de ses deux tours, se dressait au nord. À l'ouest se trouvaient les forges et une chapelle ; au sud, la muraille et les portes par lesquelles ils étaient entrés ; à l'est, les granges et les écuries où un valet étrillait un cheval bai. Robin chercha du regard le caparaçon vert avec le dragon. Il n'était pas en vue. Elle ignorait dans quelle mesure un cheval de ce genre pouvait être commun. Mais elle prit conscience que le Chevalier du Dragon pouvait se trouver à l'intérieur du château.

— Comment fait-on pour livrer ces toiles ? demanda Ewart à Robert.

Cette fois, il ne sut que répondre.

Les châteaux

Le château est la résidence privée et fortifiée d'un noble. Il diffère du palais, qui n'est pas fortifié, et de la forteresse, qui n'est pas la résidence d'un noble. Le nom vient de castellum, qui lui-même vient de castrum, et veut dire « installation militaire ». En vieil anglais, castellum est devenu castel puis castle, en vieux français castel ou chastel puis château, en espagnol castillo.

— Il y a peut-être une entrée pour les domestiques, hasarda Braelyn en s'approchant des autres pour les aider à transporter le coffre.

— Nous sommes de Tutbury. Nous remplaçons Fitz, murmura Robin. Il n'est pas surprenant que nous ignorions les habitudes d'ici. Le marchand peut nous les avoir expliquées, et nous, les avoir mal comprises. Ou nous pouvons être stupides, ou avoir oublié. Allons à l'entrée et demandons, dit Robin.

Et elle se dirigea vers le château, sa capuche bien baissée sur le visage. Mud marchait à ses côtés, les autres suivaient avec le coffre.

Dis-moi où ils sont passés !

Ils étaient au milieu de la cour quand Robin vit une femme replète poser les yeux sur Mud, s'arrêter net, ouvrir la bouche et rester immobile comme si elle avait aperçu un fantôme.

— Tu la connais ? lui demanda-t-elle en la lui indiquant d'un léger signe de tête.

— Qui ? fit-il en suivant son regard.

Il parcourut la foule des yeux, puis les écarquilla.

Mud et la femme se remirent en marche, comme si des fils invisibles les tiraient l'un vers l'autre.

Quand ils se rejoignirent, des larmes d'émotion glissèrent sur le visage de la femme.

— Ce n'est pas possible, murmura-t-elle.

Elle allongea la main et fit courir un doigt sur le sourcil fendu de Mud qui semblait absorbé par son visage et perdu dans ses pensées. Soudain, il se mit à chantonner.

« Un lièvre à six pattes
Et un loup à trois queues
Un fauconneau sans bec
Et un cerf à six bois,
Un cochon tout propret
Dis-moi où ils sont passés ! »

Robin était abasourdie. Un autre torrent de larmes baigna le visage de la femme qui, d'une voix bouleversée, poursuivit la berceuse :

« Une chaussure sans semelle
Un mille-pattes sans pattes
Une maison sans toit
Une chambre sans lit
Un cochon bien propret
Dis-moi où ils sont passés ! »

La femme serra Mud contre son cœur et il lui rendit son étreinte.

— Eilmud… souffla-t-elle.

— Mary ?

— Vous vous souvenez de tout, alors ! se réjouit-elle, émue.

Ils s'écartèrent l'un de l'autre. Mud était ébranlé et embarrassé.

— Votre nom… la chanson, mais je ne sais pas…

— Venez avec moi ! dit Mary d'une voix ferme en séchant ses larmes. Nous devons parler…

— Mais… et mes amis ? fit Mud.

— Qu'ils viennent eux aussi !

Ils entrèrent par une petite porte sur la gauche du château, près de la tour. Ils longèrent un couloir et croisèrent deux hommes d'armes qui les regardèrent à peine. En compagnie de Mary, leur présence ne choquait pas : des commerçants, un jour de marché. Ils franchirent deux portes, puis une troisième qui ouvrait sur un vaste entrepôt rempli de caisses, de tonneaux et d'étagères. Deux fenêtres, closes pour l'instant, donnaient sur l'extérieur. Mary alluma une lampe et leur fit signe de fermer la porte et de poser le coffre.

— Ce n'est pas possible… balbutia Mud, incapable de croire tout ce que lui disait la femme. Comment pouvez-vous en être aussi certaine ?

— Vous m'avez reconnue tout comme moi je vous ai reconnu. J'ai été votre nourrice et j'ai autant aimé votre visage que celui de mes enfants. Vous vous rappelez la ballade que votre mère et moi avions inventée pour vous. Vous vouliez sans cesse l'entendre. Vos cheveux roux et votre sourcil fendu sont le signe distinctif des Talbot. Votre père les a, et votre grand-père les avait avant lui. Vous avez les yeux verts de votre mère, je les reconnaîtrais entre mille. Eilmud Talbot, vous êtes le premier-né et l'héritier de la baronnie.

Robin se souvint qu'entre autres accusations qui pesaient sur Philip, il y avait la mort de l'héritier Talbot. Elle avait cru qu'il s'agissait d'un mensonge de ses geôliers.

— Je ne sais pas, murmura Mud, bouleversé. Je me rappelle si peu, pourquoi ?

Robin ôta le médaillon et le tendit à la vieille nourrice.

— Mud l'avait sur lui, enfant, quand le braconnier l'a trouvé dans les bois.

Mary s'en saisit, les yeux de nouveau humides.

— Votre mère vous l'a donné… à l'occasion de votre troisième anniversaire. Vous voyez le cygne qui est gravé sur le revers ? C'est le symbole de sa famille…

Mud se raidit et Robin frissonna.

— Lady Berniece… est sa mère ?! s'écria-t-elle, horrifiée.

— Ciel, non ! éclata Mary comme si Robin avait dit que Mud était le fils d'une sorcière et du démon. (Puis, avec douceur, elle s'adressa à lui :) Votre mère, lady Rowena, était la première épouse du baron. La femme la plus noble, la plus douce et la plus gentille qui ait jamais foulé cette terre. Elle était très belle. Quand elle marchait, on croyait voir voler un ange.

Robin se rappela aussitôt le rêve récurrent de Mud.

— Elle portait une bague avec une gemme bleue ? s'enquit-elle.

— Oui, répondit la nourrice.

— Et toi, comment peux-tu le savoir ? fit Ewart, stupéfait.

— Mud s'en souvient. Il rêve tout le temps d'elle.

— Vous voyez ? dit Mary, tout sourire.

Et elle tendit le médaillon à Mud qui regarda Robin. Elle lui fit un signe de tête.

— Il est à toi ! dit-elle.

Mud ne put proférer une parole. Il se passa la croix autour du cou et porta les mains à son visage pour dissimuler ses larmes. Braelyn le rejoignit et le serra contre elle ; il posa le front sur son épaule.

— Vous avez besoin de boire, déclara Mary.

Elle se leva, alla chercher une cruche, ouvrit le baril près de la fenêtre et en tira une grande quantité de bière.

— Le nom de Thomas Skatlock vous dit-il quelque chose ? lui demanda Robin.

La femme sursauta.

— C'était l'un des sbires de la baronne, lady Berniece. Mais il a disparu il y a longtemps. (Elle s'interrompit, se perdit dans ses pensées et son regard s'assombrit.) À dire vrai, sa disparition remonte à l'époque de celle d'Eilmud. Pourquoi le demandes-tu ? Que sais-tu ?

— Pas autant que je le voudrais, répondit Robin.

La volonté du père

Tandis que Braelyn et la nourrice parlaient avec Mud, Robin s'éloigna et fit signe à Robert et Ewart de la rejoindre.

— Dites-moi si cela vous semble plausible... murmura-t-elle. Edgard le braconnier achète Mud à Thomas Skatlock qui, selon Fitz, *devait* le tuer. Et étant donné qu'il *devait* et ne *voulait* pas le tuer, il est probable qu'il en avait reçu l'ordre. Selon Mary, Skatlock servait lady Berniece, par conséquent cet ordre est peut-être venu d'elle. Mais pourquoi ?

Ewart haussa les épaules.

— Continue, dit Robert.

— Philip et Mud sont tous deux des enfants trouvés. Quelqu'un voit le médaillon autour du cou de Philip et peu de temps après Wellfield est mis à feu et à sang. Philip est le seul à être épargné, on l'amène à lady Berniece qui l'interroge à propos du médaillon parce qu'elle...

— … pense que Philip est Mud, l'héritier, conclut Robert.

— C'est ce que je crois. Ayant compris qu'elle a commis une erreur, la baronne décide de se débarrasser de mon frère.

— Et si elle avait trouvé Mud ? demanda Ewart. Essayer de l'éliminer quand il était enfant et le rechercher après tant d'années ? Cela n'a pas de sens.

Robin fixa les yeux malins de son ami, puis regarda la nourrice.

— Pardonnez-moi, Mary ! Croyez-vous que lady Berniece sera… heureuse de revoir Mud… Eilmud ? fit-elle.

La nourrice prit un air ennuyé.

— La baronne n'a qu'une hâte, c'est que le titre revienne à son fils Drogo. Lui, pour sa part, ne veut pas en entendre parler. Il est chevalier et désire continuer à servir le roi. Ainsi, de fait, ce serait elle qui prendrait les rênes de la baronnie, expliqua-t-elle. Cela dit, s'occuper de politique n'est pas de mon ressort. Moi, on m'a toujours simplement confié les jeunes Talbot.

— Alors j'ai aussi un frère, murmura Mud.

— Un demi-frère, précisa Mary.

— Je me trompe, ou dans toute cette histoire il manque un baron ? fit remarquer Ewart.

Mary le foudroya du regard et il se tut. Mud leva un regard égaré vers la nourrice.

— Un poney blanc avec une crinière sombre et un homme à la barbe rousse qui me hisse en selle, murmura Mud qui pêchait une étrange image dans sa mémoire. C'était lui, le baron ? C'est lui, mon vrai père ?

— Le baron... votre père... (La voix de Mary se fêla et elle dut s'arrêter pour reprendre son souffle.) Venez, c'est bien que vous puissiez vous rencontrer pendant qu'il est encore temps.

Robin vit Mud se lever du banc en chancelant. Il était bouleversé et elle le comprenait. À peine découvrait-il qu'il avait un père qu'il le perdait déjà. Sa main retint un instant celle de Braelyn.

— Vous autres, attendez ici, dit la nourrice. Lord Eilmud, suivez-moi.

Tous deux se dirigèrent vers la porte.

— J'ai une dernière question, s'écria Robin. Percy Brooke est-il ici ?

La nourrice la regarda, une lueur de contrariété dans les yeux.

— J'aimerais pouvoir dire que je ne le connais pas. Et j'aimerais comprendre la raison de votre passion pour les grands fidèles de la baronne, déclara-t-elle froidement.

Puis elle ouvrit la porte à Mud.

Robin avait compris. Lady Berniece avait ordonné à Thomas Skatlock de tuer Mud quand il était enfant, afin que son fils Drogo devienne l'héritier. Mais Skatlock avait vendu le petit à Edgard le braconnier, puis il avait disparu. Des années plus tard, quelqu'un avait vu le médaillon au cou de Philip l'enfant trouvé, et la nouvelle était parvenue à la baronne. Elle avait ordonné au Chevalier du Dragon de lui amener Philip en croyant que c'était Mud. Le chevalier avait rasé Wellfield, car il craignait que la véritable identité de Mud ne soit connue, ou pour ne pas laisser de témoins. En conclusion : lady Berniece était la responsable de la mort de ses parents et le Chevalier du Dragon en avait été l'exécuteur. Après ce coup de théâtre qui avait révélé la véritable identité de Mud, elle ne savait plus comment honorer le serment prononcé sur la tombe de ses parents.

— Si Mud devient baron, ces deux-là seront punis, lui dit Robert comme s'il avait deviné ses pensées.

— Moi, je n'ai pas confiance, fit-elle.

— En Mud ? s'étonna Braelyn.

— Je confierais ma vie à Mud. Mais pensez-vous vraiment qu'une femme comme la baronne soit prête à l'accepter ?

— Je suis d'accord avec Robin, déclara Ewart. Et si ce demi-frère est chevalier… en considérant ceux que nous avons rencontrés, cela n'a rien de rassurant.

— Ouvrons ce coffre, conclut Robert.

Mud serrait les mains diaphanes et décharnées de son père. Lorsqu'il était entré dans la pièce, le mourant avait levé la tête de son oreiller. Comme la nourrice, il l'avait aussitôt reconnu, avant même qu'elle ne lui raconte tout. Père et fils étaient tombés dans les bras l'un de l'autre, et le majordome avait reçu l'ordre de mander Drogo, le fils cadet du baron.

— Je crois que Dieu m'a pardonné tous mes péchés, s'il m'a donné le temps de te revoir sur cette terre, souffla lord Ralph.

Mud retint un sanglot.

— Seigneur, ne vous fatiguez pas... chuchota-t-il.

Il serra avec délicatesse la main de ce père qu'il n'avait jamais pensé retrouver. Il examina son visage marqué par la maladie, ses yeux bleus et son sourcil fendu identique au sien.

— Je ne suis pas ton seigneur, protesta le baron dans un râle. Appelle-moi comme il se doit.

— Père... murmura Mud. (Il voulait dire autre chose, mais s'interrompit, submergé par l'émotion. Il inspira à fond, avala sa salive.) Si seulement j'avais imaginé...

— Tu es là, à présent. Ta mère en serait heureuse, dit le baron d'une voix faible.

La porte s'ouvrit sur un garçon aux cheveux roux ondulés et aux yeux bleus semblables à ceux de Ralph Talbot. Le majordome n'était pas avec lui. Le jeune homme fixa immédiatement un regard méfiant sur Mud.

— Alors c'est toi... Eilmud.

Sans lâcher les mains de son père, Mud acquiesça. Il ignorait à quoi s'attendre de la part du garçon devant lui, mais vit que son expression passait rapidement de la méfiance à la surprise.

— Je craignais que tu ne sois un imposteur, mais à présent que je te vois... dit-il.

— Reconnais ton frère aîné, lui ordonna le baron.

Il lâcha la main de Mud qui se releva. Drogo baissa la tête et s'agenouilla.

— Moi, Drogo Talbot, ici et maintenant, je te reconnais, devant notre père et pour toujours, comme fils aîné et héritier. Et je t'offre mon épée.

Mud tendit les mains à son demi-frère pour qu'il se relève. Les deux garçons s'étreignirent. Les yeux du baron se remplirent de larmes. Dans un effort terrible, il tenta de se soulever sur sa couche et fit un signe à Mary qui se précipita pour l'aider. Quand il fut assis, d'un autre geste, il appela ses fils auprès de lui et pâlit, exténué. Il leur prit les mains à tous deux.

— Jurez de rattraper le temps qui vous a été enlevé, d'être toujours unis, dit-il d'une voix ferme. Eilmud, quel que soit le monde où tu as grandi, dorénavant tu apprendras tout ce qui t'a été refusé et tu seras baron. Drogo, toi, tu as toujours été ma fierté, tu es déjà chevalier, tu as servi le roi, tu connais les règles de l'honneur. Tu le guideras. Jurez tous les deux.

— Je le jure, père, répondit Drogo.

— Je le jure, fit Mud en écho.

Les forces abandonnèrent le baron ; les deux garçons l'aidèrent à se rallonger.

— Mourir entre mes fils… souffla lord Talbot. Ce serait un privilège inespéré… mais d'abord… je veux que vous fassiez une chose pour moi. Et que vous la fassiez ensemble.

Coucher de soleil sanglant

De l'entrepôt, Robin entendit soudain retentir des pas à l'étage supérieur. Des pas précipités, déterminés et pesants. Comme si un grand nombre de personnes réagissaient à une alerte. Elle se leva d'un bond.

— J'ai l'impression que tu avais raison, dit Robert.

— Allons-y.

Ils sortirent, leurs arcs et leurs flèches à la main. Ewart prit l'arc de Mud et le mit dans son dos.

Mud était encore bouleversé quand Drogo lui indiqua la gigantesque porte.

— Laisse-moi parler, lui dit son demi-frère.

— Moi, je ne veux pas créer de probl… commença Mud.

— Nous n'avons pas le choix. Nous ne pouvons qu'accomplir la volonté de notre père et prendre la voie de ce qui est juste, l'interrompit Drogo.

Il fit signe aux deux gardes d'ouvrir la porte et la franchit.

Mud le suivit et se retrouva dans une immense salle au plafond voûté. Il sursauta en voyant les chevaliers armés d'épées et de lances, revêtus presque tous d'une cotte de mailles, alignés des deux côtés d'un trône où était assise une grande femme au visage osseux et à l'air hautain. Ses yeux glacials et très noirs le transpercèrent, chargés de haine. À quelques pas sur sa gauche se tenait celui qui semblait le plus important des chevaliers, une tunique amarante par-dessus sa cotte.

De l'autre côté, près du trône, une porte close.

Drogo fit une révérence à peine esquissée et Mud l'imita.

— Mère, commença Drogo, l'état du baron votre mari a empiré. Il souhaite vous voir.

— Je le verrai plus tard, répondit la femme, ne laissant paraître aucune émotion, comme s'il s'agissait du plus banal des commentaires sur le temps. Les bruits courent vite au château et je sais que tu m'apportes aussi d'autres nouvelles, ajouta lady Berniece.

— En effet… répliqua Drogo. Une heureuse nouvelle qui adoucira votre chagrin à propos de lord Ralph.

Mud se demanda si son demi-frère faisait preuve d'ironie et le regarda. Son visage ne trahissait rien. Il comprit qu'il ignorait tout des règles de la partie qui se jouait sous ses yeux.

— Voici Eilmud Talbot. Lord Ralph l'a reconnu comme son héritier légitime et souhaite que vous en fassiez autant, déclara Drogo qui fit courir son regard sur tous les chevaliers présents. Quant à moi, je lui ai déjà offert mon épée, ajouta-t-il en posant la main sur l'épaule de Mud.

La baronne réagit avec un sourire inquiétant.

— Le petit Eilmud est mort il y a longtemps.

— Qui êtes-vous ? Vous n'avez pas le droit d'être ici, aboya l'un des gardes postés devant la grande porte de la salle.

C'est de là que provenaient les voix et où, selon les calculs d'Ewart, ils s'étaient tous réunis.

— Nous avons fait un long voyage pour livrer les tissus de lady Berniece, répondit Robin d'une voix suave. Et nous devons nous occuper des essayages des hab…

Le garde la regarda d'un œil torve.

— Filez aux cuisines, restaurez-vous et attendez d'être convoqués.

Robin et Braelyn échangèrent un coup d'œil de connivence.

— Nous aimerions bien, si seulement nous réussissions à les trouver, fut la prompte réponse de Braelyn.

— L'un d'entre vous pourrait-il nous accompagner ? renchérit Robin. Cela fait un moment qu'on tourne en rond dans ce château.

Cette fois, ce furent les deux gardes qui échangèrent un coup d'œil et le plus fort fit un signe à l'autre.

— Vas-y, toi, ordonna-t-il.

L'air irrité, le petit alla vers le couloir d'où ils venaient de déboucher.

— Ce n'est pas sorcier. D'abord, vous filez tout droit, ensuite vous tournez à droite, vous dépassez le premier escalier et descendez le second à gauche…

Elles franchirent rapidement l'arche qui menait dans le couloir. Au bout de quelques pas, Robin s'immobilisa.

— Récapitulons… cria-t-elle en clignant de l'œil vers Robert et Ewart qui étaient à leur poste, prêts à intervenir. On doit descendre le premier escalier à droite et puis… ?

Le garde eut à peine le temps de soupirer et de faire trois pas dans sa direction que la lourde chaise de bois lancée par Robert le frappa de plein fouet. Il s'écroula sur le sol, sans connaissance.

— Reginald ? appela le grand en entendant le bruit sourd.

Robert reprit la chaise, tandis qu'Ewart passait arcs et flèches à Braelyn et à Robin. Le garde musclé connut le même sort que son compagnon, mais avec un bruit plus lourd. Ewart et Robin ligotèrent et bâillonnèrent le plus petit, après avoir arraché des bandes d'étoffe de leurs propres habits. Robert et Braelyn en firent de même avec le grand.

Puis ils se dirigèrent vers la grande porte, arc à la main, et écoutèrent. Une voix féminine leur parvint.

— Je comprends le baron mon mari, disait-elle. Depuis des années il rêvait de retrouver son fils perdu. Cependant, son esprit éprouvé par la maladie croirait reconnaître Eilmud en n'importe qui. Ce paysan n'est qu'un imposteur.

Robin s'enflamma de colère. La femme qui avait ordonné la mort de ses parents et de tous les habitants de Wellfield se trouvait à quelques mètres d'elle et voulait de nouveau se débarrasser de Mud.

— On entre ? murmura Braelyn.

— Une seconde, dit Robin qui se remit à écouter.

Mud remarqua les expressions incertaines sur les visages des chevaliers. En revanche, celle de leur chef à la tunique amarante était amusée.

— Il ne s'agit pas d'un imposteur, protesta Drogo. Et si, pour vous en convaincre, son aspect ne vous suffisait pas – son sourcil fendu et les autres preuves auxquelles le baron, jouissant de toutes ses facultés mentales, a ajouté foi –, en voici une autre.

Il souleva le médaillon suspendu au cou de Mud et le montra à l'assistance.

— Reconnaissez votre seigneur.

Deux chevaliers s'agenouillèrent. Celui à la tunique amarante rougit violemment. Lady Berniece ne perdit pas contenance.

— Mon fils, la douleur due à la mort imminente de ton père te trouble l'esprit, commenta-t-elle, glaciale. Il est évident que ce paysan a dérobé le médaillon au petit Eilmud, qui sait il y a combien de temps.

— Baronne, la volonté du baron mon père est très claire, insista Drogo d'une voix qui vibrait de colère.

— Percy, faites disparaître ce paysan de ma vue et qu'on enferme Drogo dans ses appartements jusqu'à ce qu'il retrouve la raison, conclut lady Berniece.

— Maintenant ! lança Robin derrière la porte.

Ils l'ouvrirent en grand et bandèrent leurs arcs.

— Halte-là, vous tous ! hurlèrent-ils.

La scène qu'ils découvrirent les déconcerta.

Deux groupes de chevaliers se faisaient face, le premier, trop nombreux, avait pris position devant lady Berniece, le second autour de Mud et d'un autre garçon qui devait être Drogo. Un vieux chevalier offrit sa propre épée à ce dernier.

— Nous sommes avec ceux qui entourent Mud, j'imagine, murmura Ewart.

Les chevaliers et la baronne fixèrent les nouveaux arrivants. Drogo profita de l'interruption pour prendre la parole.

— Évitons d'inutiles effusions de sang, ordonna-t-il.

Lady Berniece se leva et fit un signe au chevalier à la tunique amarante.

— Crois-tu que ces paysans avec leurs arcs constituent une menace ? gronda-t-elle.

— À l'attaque ! hurla le chevalier.

Robin reconnut cette voix. Elle ne pourrait jamais l'oublier. La voix de celui qu'elle avait juré de tuer. L'homme à la tunique amarante était le Chevalier du Dragon.

Lord Talbot

Les chevaliers de la baronne se jetèrent sur ceux de Drogo qui repoussa Mud vers la porte tout en parant un fendant.

Quatre lances sifflèrent vers Robin et ses amis qui se déployèrent en éventail pour les éviter, puis se tapirent derrière les tables. Ewart jeta son arc et deux flèches à Mud. Ils avaient peu de flèches chacun. Robin en avait trois. Ils ne devaient les utiliser qu'à bon escient. Toutefois, viser dans cette mêlée relevait de l'exploit, sans compter le risque de frapper un allié. Les flèches décochées par Mud, Robert, Braelyn et Ewart rebondirent contre autant de cottes, et l'inutilité de ces tirs résonna plus fort que le bruit retentissant de la bataille.

Robin fut contrainte de tirer deux fois : la première flèche manqua la cible parce que le chevalier à qui elle était destinée fit un bond en arrière ; la seconde s'enfonça dans la jambe d'un de ceux qui attaquaient Drogo. Ce dernier la remercia d'un bref signe de tête et elle se rendit compte qu'il ne lui restait plus qu'une flèche. Elle bondit sur la table devant elle. Elle ne serait plus protégée, mais seule sa promesse importait désormais. De l'autre côté de la salle, elle vit le Chevalier du Dragon lever l'épée sur Mud, tandis que deux des siens l'immobilisaient. Elle banda son arc, revit le regard terrorisé de son père qui s'enfuyait, la flèche qui l'avait atteint et le coup d'épée qui l'avait tué. Elle revit le visage brûlé de sa mère et sa poitrine transpercée. Elle sentit un nœud à l'estomac, réussit à s'en défaire, à voir de nouveau la salle et le chevalier. Elle affina son point de mire, visant juste un pouce au-dessus du bord de la cotte.

— Percy Brooke ! hurla-t-elle.

Il se retourna vers elle et son épée resta en suspens dans les airs.

— Pour Ellen et Matthew Hood ! cria Robin, et elle décocha sa flèche.

Elle cessa d'entendre les cris, les râles et le vacarme de la bataille qui faisait rage autour d'elle. Il lui sembla que sa flèche traversait la pièce au ralenti, elle crut entendre son sifflement traverser les airs.

Touché à la gorge, le Chevalier du Dragon s'effondra. L'un de ceux qui maintenaient Mud le lâcha et courut vers lui. Le garçon se libéra de l'autre.

— Robin, attention ! cria Robert.

Elle eut juste le temps de voir une épée fondre sur elle et se jeta à terre. Un instant plus tard, le corps de son adversaire s'affala sur elle, une flèche dans l'œil.

— Je te préfère vivante, lui cria Robert.

Robin repoussa le corps et chercha lady Berniece. Protégée par deux des siens, la noble dame courait vers une porte. L'huis s'ouvrit avant qu'elle y parvienne. Robin aperçut Mary et un domestique qui soutenaient un homme très pâle aux cheveux blancs et aux yeux bleu clair, vêtu d'une longue tunique brodée ornée de fourrure au col et aux poignets.

L'homme congédia son étrange escorte et redressa le dos. Avec l'attitude impérieuse de celui qui est habitué à commander, il entra dans la pièce. Dès que lady Berniece le vit, la colère et la stupeur contractèrent son visage en une grimace horrifiée.

— Suffit ! ordonna l'homme.

Robin se demanda comment cette voix tonitruante pouvait sortir d'un corps aussi affaibli.

Les combats cessèrent sur-le-champ. Les hommes baissèrent leurs armes. Mud et Drogo en firent de même.

— Baron Talbot, fit lady Berniece, vous ne devriez pas être ici. Votre santé…

— Honte sur vous ! tonna le baron.

Dans un silence absolu, il s'avança vers le trône. Par moments, il semblait puissant – comme peut-être il l'avait été –, par moments, il semblait juste las et malade. Évitant de regarder sa femme, il s'assit et reprit son souffle. Les yeux de la baronne lançaient des flammes.

— Eilmud, Drogo. Approchez-vous, ordonna le baron.

Les chevaliers s'écartèrent pour leur faire place. Braelyn, Robert et Ewart aussi. Robin remarqua un échange de regards entre lady Berniece et un chevalier qui portait une tunique sombre sous sa cotte et qui tenait encore son épée à la main. Profitant du fait que tous les yeux étaient rivés sur Talbot, il se baissa et ramassa une flèche qui avait manqué sa cible.

Drogo s'inclina devant son père et Mud en fit de même.

— Jamais je n'avais vu le sang couler dans cette salle… dit le baron. (La voix lui manqua.) Et jamais cela ne devra se reproduire.

Robin remarqua que Tunique Sombre progressait lentement vers l'avant.

— Mon fils Eilmud, mon successeur et héritier, veillera à ce que pareille abomination n'arrive jamais plus, avec l'appui de mon fils cadet Drogo.

Robin observa l'expression des chevaliers : satisfaite, pour les partisans de Drogo ; stupéfaite, pour les autres, dont certains paraissaient prêts à contre-attaquer.

— Baron, intervint lady Berniece, votre maladie…

— … ne m'a pas fait perdre la raison ! Jurez fidélité à mon héritier.

La femme sourit et se dirigea vers Mud en tendant les bras, ses yeux brillants de méchanceté.

— Je disais… votre maladie ne vous permet pas de supporter des efforts prolongés. Donc, permettez-moi de serrer tout de suite mon beau-fils sur mon cœur.

Mud ne bougea pas. Il semblait paralysé par ce brusque revirement. La femme l'étreignit. Le baron soupira. Robin vit lady Berniece adresser un coup d'œil à Tunique Sombre pendant qu'elle prenait la main de Mud. Un objet luisant glissa de sa manche dans sa main. Le chevalier leva son épée.

— Attention ! hurla Robin qui encocha prestement une flèche.

Le chevalier lança son épée sur Mud. Drogo, d'un bond, écarta son demi-frère de sa trajectoire, et la lame transperça le ventre de lady Berniece. La baronne tomba sur le sol. Sa main serrait un poignard au manche orné de pierres précieuses.

— L'imposteur a tenté de me tuer, râla-t-elle.

Les fidèles de la baronne portèrent les mains à leurs armes, les autres en firent de même aussitôt après.

— Que personne ne bouge, ordonna le baron.

— L'imposteur a tenté de me tuer avec ceci. Je le lui ai arraché… souffla la baronne, une main sur sa blessure, l'autre agitant le poignard.

Drogo s'approcha d'elle et lui ôta le poignard.

— Ne mentez pas, mère, dit-il. Ce poignard est à vous.

Robin baissa son arc.

Les cloches sonnaient en signe de deuil. Martin et Gilbert frissonnaient, certains que ce glas annonçait leur exécution. Lorsqu'un bruit de pas résonna dans le couloir devant leur cellule, ils se regardèrent.

— Tu crois qu'ils veulent nous pendre ? fit Gilbert.

— Mais non ! répondit Martin. Ils nous emmènent chez le roi pour festoyer à un banquet.

Un épais silence tomba, seulement brisé par les pas.

— Tu n'es pas trop infect, comme frère, annonça Martin. Mais c'est moi qui monte le premier à l'échafaud.

— Sûrement pas, rétorqua Gilbert. Je ne veux pas te voir mourir.

Ils commencèrent à se taper dessus. L'irruption des gardes ne mit pas fin au combat. Et ils continuèrent encore à se battre quand les gardes voulurent les séparer. Quand ils eurent tous deux une épée contre la gorge, ils s'arrêtèrent enfin.

— Je t'aime, dit alors Martin.

— Moi aussi, malheureusement, répondit Gilbert.

On les releva de force et on les poussa hors de la cellule.

— Pourquoi le nouveau baron veut-il voir ces deux porcs crasseux ? s'exclama le plus petit des gardes. Franchement, ça me dépasse !

L'adieu

Robin ne dormait pas depuis le jour de la bataille de la salle du trône. Dans la pièce du château qu'on avait mise à leur disposition, elle ne pouvait fermer l'œil. Tandis qu'Ewart, Robert, Braelyn, Martin et Gilbert ronflaient, elle regardait au-dehors. Les étoiles brillaient, la nature se reposait et elle se sentait vide. Elle avait vengé l'assassinat de ses parents et tué le Chevalier du Dragon, comme elle se l'était juré sur leur tombe. La baronne avait été l'artisan de son propre destin et avait trouvé la mort en essayant d'étancher son absurde soif de pouvoir. Pourtant, Robin ne trouvait pas la paix. Elle avait accompli tout ce qu'elle s'était promis de faire et n'avait plus rien à désirer. Elle aurait juste voulu sentir encore le parfum des bois qui émanait de son père et tresser la chevelure de sa mère ; elle aurait voulu que lady Berniece et Percy Brooke n'aient jamais existé, que ses parents remplissent encore de joie et de rires leur maison de Wellfield. Son avenir n'avait plus de raison d'être. Elle n'avait plus aucun désir, aucun rêve.

Quelqu'un toqua à la porte et Robin alla ouvrir.

— Mud…

Ils s'étreignirent.

— Ne devrais-je pas plutôt t'appeler lord Talbot désormais ? demanda Robin.

— Pour vous, je serai toujours Mud, affirma-t-il.

Ils s'assirent dans un angle de la pièce.

— Comment vas-tu ? fit Robin.

— Je ne sais pas. Il est arrivé trop de choses. Drogo pense que je dois accomplir mes devoirs de baron, et moi, je ne sais même pas ce que cela veut dire. Mais je l'ai juré à mon père sur son lit de mort. Je resterai ici.

— Ton frère ?

— Il dort, à présent. La mort de lord Ralph l'a dévasté, mais pour lady Berniece, il n'a pas versé une larme. Comment est-ce possible ? C'était sa mère, malgré tout.

Robin aussi était déconcertée.

— Mais c'était aussi une horrible personne, dit-elle. Toi et moi, nous ne pouvons même pas imaginer ce que signifie grandir auprès d'une femme comme elle. (Après réflexion, elle reprit :) Et ses chevaliers, leur faites-vous vraiment confiance ? Dès qu'ils l'ont vue vaincue, ils ont retourné leur veste. Je doute qu'ils soient devenus de braves gens.

— Mon frère a une noble idée de la chevalerie. Nous avons déjà éloigné les pires, emprisonné celui qui a tué lady Berniece et promu à leur tête Jeremy Stunt, en qui Drogo a toute confiance.

— *Vous* avez ? demanda Robin.

— Formellement, c'est moi qui ai donné l'ordre, mais pour l'instant, je ne peux que suivre les conseils de Drogo. Et toi ? Que comptes-tu faire ?

— Philip m'attend à York, répondit-elle, la mine sombre.

— Tu me manqueras, souffla Mud. Et Braelyn aura le cœur brisé.

— Moi aussi, murmura Robin en ravalant ses larmes.

Robert, Martin, Gilbert, Ewart, Braelyn et Robin mangeaient dans une salle petite et accueillante. Bien que la table croule sous des délices en tout genre, l'ambiance n'était pas celle d'un joyeux banquet.

— Magnifiques, ces pommes ! s'exclama Martin en les chipant à Gilbert qui le laissa faire sans protester.

Ewart adressa un sourire joyeux à la jeune fille qui lui servait une grande chope de bière.

Gilbert donna un coup de poing amical sur l'épaule de Braelyn.

— Haut les cœurs, Braelyn ! Se peut-il qu'aucune de ces merveilles ne te plaise ?

— Je n'ai pas faim… marmonna-t-elle sans lever les yeux de son assiette.

La porte s'ouvrit sur Mud, suivi de son frère.

— Lord Eilmud souhaite vous transmettre certaines nouvelles, annonça Drogo.

Mud eut une drôle de grimace, comme s'il ne pouvait s'habituer à ce qu'on l'appelle Eilmud… et lord. Un domestique apporta une chaise, mais il resta debout.

— Vos têtes ne sont plus mises à prix et celle de Philip non plus, déclara Mud.

Martin se leva d'un bond.

— Tu es mon baron préféré ! Cela dit, je n'en connais pas d'autre…

Gilbert rejoignit Mud et lui assena une de ses puissantes claques.

— Mais moi, je te préfère aussi aux comtes, aux ducs et aux rois du monde entier.

Mud s'esclaffa et Drogo lança un coup d'œil désapprobateur à Gilbert.

— Pas de claques aux lords ? lui demanda Mud d'un air contrit.

Drogo secoua la tête, sérieux, mais Robin eut l'impression qu'il étouffait un petit rire.

— En récompense des services que vous avez rendus à la baronnie, nous proposons aux garçons de les engager comme hommes d'armes, déclara Drogo. Et aux jeunes filles, de rester au château où nous trouverons à les employer à leur convenance.

L'ambiance de cette matinée se fit encore plus étrange. Personne n'avait le courage de prononcer une parole. Mud baissa les yeux.

— Bien sûr, il ne s'agit que d'une proposition que vous êtes libres de refuser. Notre gratitude restera inchangée. Et notre amitié également.

Robin regarda Braelyn qui serrait les dents.

Braelyn était tombée amoureuse de Mud au premier regard, quand elle était encore Bryce. Pendant longtemps, Mud l'avait considérée comme son meilleur ami, et il avait appris sans sourciller sa véritable identité.

Les autres avaient déjà fait leurs adieux et étaient sortis du château. Braelyn, avec l'aide de Robin, avait fait en sorte d'être la dernière à saluer Mud. Ils étaient là depuis un bout de temps et Braelyn s'était transformée en moulin à paroles... Elle aurait dit n'importe quoi pour passer quelques instants de plus en sa compagnie. Soudain, elle se rendit compte que c'était inutile.

— Eh bien... je crois que je dois y aller... maintenant, dit-elle.

Mud l'enlaça et elle s'effondra. Elle s'était promis de ne pas pleurer, de le saluer joyeusement, mais c'était au-dessus de ses forces.

— Je n'aurais jamais pensé que quelque chose nous séparerait, chuchota-t-elle.

Il la serra encore plus fort.

— Alors, reste.

Braelyn se libéra de son étreinte. Les murs de la pièce semblaient tournoyer et elle ne pouvait plus respirer. Une question lui brûlait les lèvres, qu'elle n'arrivait pas à formuler.

— Drogo l'a demandé à tous, dit-elle à la place.

— Moi, je te le demande à toi, insista Mud en lui prenant les mains.

Braelyn rougit. Le feu qui l'embrasait lui brûlait la gorge et l'empêchait de parler.

— Reste, insista Mud avec une expression intense qui lui donna enfin le courage de poser sa question :

— À qui le demandes-tu ? à Bryce ou à Braelyn ?

— J'ai besoin des deux, répondit Mud. J'ai besoin de toi.

De nouveau en chemin

Les branches des arbres accueillirent Robin en une étreinte protectrice. La forêt n'était plus l'entité mystérieuse et terrifiante qu'elle lui avait paru être la première fois où elle y était entrée. Elle ne ressemblait pas non plus à l'endroit dont elle rêvait avant de la connaître. La forêt, désormais, était sa demeure, et même plus : c'était une partie d'elle-même, l'endroit idéal où se reposer.

— Moi, je m'arrête ici, les gars. Je dois aller à York.

— Tu plaisantes ? s'écria Ewart. Je pensais que tu serais venue avec nous.

— Mon frère m'attend là-bas.

Aucun d'entre eux ne sut que répondre. Tous la saluèrent. Gilbert avec une rafale de claques auxquelles elle ne put se dérober. Martin et Ewart l'étreignirent longuement. En revanche, Robert lui adressa juste un signe de tête tandis qu'elle s'éloignait. Elle se sentit défaillir.

— Salue Esmeralda de ma part quand tu la verras, cria-t-elle.

— Je voudrais bien, mais on ne se voit plus aussi souvent qu'à une époque. Fais demi-tour et va la saluer toi-même, explosa-t-il.

Déçue, Robin tourna le dos et se mit en route vers York.

Le soir venu, elle trouva un refuge. Épuisée, elle s'endormit comme une masse. Et pour la première fois depuis la nuit où Wellfield avait brûlé, elle dormit d'une traite, d'un sommeil sans rêves.

Une agréable odeur de gibier rôti lui fit ouvrir les yeux. La première chose qu'elle vit fut le visage de Robert. Il souriait.

— Enfin. Tu as dormi deux jours et deux nuits d'affilée, lui dit-il. Tu as faim ?

— Non, grogna-t-elle en se redressant sur les coudes. Qu'est-ce que tu fais là ? Ça t'amuse d'observer les gens qui dorment ?

— Parfois, répondit-il en lui tendant un cuissot odorant. Mais pour les prochains jours, j'ai d'autres plans.

— C'est-à-dire ? fit-elle en se levant et en refusant la viande.

— Tu te souviens de la faveur que tu devais me rendre dans l'année ?

— Je t'ai sauvé de la corde, tu te rappelles ? rétorqua-t-elle d'un ton ferme. Tu avais dit que nous étions quittes.

— J'ai changé d'idée. Cette fois-là, ce n'est pas moi qui t'avais demandé de m'aider. Tu me dois encore une faveur.

— Je t'écoute.

— Reviens dans la forêt.

Robin éprouva une sensation très étrange. La même que celle qu'elle avait ressentie quand son père lui avait offert l'arc. Elle réalisa qu'elle avait encore un rêve, comprit que son souhait le plus cher correspondait à ce que Robert était en train de lui demander. Mais elle avait aussi promis à Philip de le rejoindre.

— Dommage que je sois en route pour York.

— Et tu t'y rendras. Mais on peut réarranger le Château et quelques-uns de mes refuges pour y accueillir tout le monde et aussi prévoir une place pour Philip. Si tu acceptes, je t'accompagne à York.

C'était simple comme bonjour. Et elle n'y avait même pas pensé !

Le sourire qu'elle sentit naître sur son visage illumina toute la forêt et se refléta dans les yeux de Robert.

— Ensuite je ne te devrai plus rien ? demanda-t-elle sans cesser de sourire.

— Ensuite on sera quittes. Tu as faim maintenant ?

Il lui tendit de nouveau le morceau de viande.

— Une faim de loup, répondit-elle en le prenant.

Et elle se sentit immensément heureuse.

Remerciements

Merci, non. Il faut au moins un merci^2 ou un merci^{399}.

La vérité, c'est que je dois un tas de mercis^{merciinfiniment} à tous les membres de mon clan.

À Nella, la tête de lignée, parce qu'elle a sauvé des neiges glacées du Prince Cervin sa petite-nièce victime d'une « petite maladie de gel ».

À Pupa parce qu'elle m'a envoyé de la Malaisie à la Frontière, du cœur d'une fleur à la profondeur de la mer et, enfin, m'a embarquée sur un astronef pour m'emmener là où aucun homme n'est jamais arrivé auparavant.

À Dafne qui sait me montrer le souffle des cailloux, l'âme des fleurs et le battement de cœur de la Terre, et à Jack pour sa façon de jouer jusqu'au dernier soupir.

Au Pô Ciliegino qui est ma vie, mon étoile Polaire la nuit et mon plus chaud Soleil le jour.

À Tando lo Spiegatore qui m'a appris à retourner l'omelette.

À Trio Mala qui s'est transformé en quatuor le plus drôle du monde et à Trio Popi qui (pour l'heure) trio est resté.

Au Chevalier de Trinacria, Maître dans l'art de la patience.

À Toby, la sœur que j'ai choisie, et à Vava qui ne marche pas, mais avance majestueusement avec une élégance distraite.

À Brutus pour sa fureur tendre, à Skippy qui s'est empiffré de tout le saint-honoré dont je rêvais depuis des mois, à King et à Zampino Bianco pour leur regard d'infinie tendresse. Et à Mimi parce que je ne comprends pas si elle réfléchit aux destins de l'humanité ou si elle est une tête de linotte.

À toi parce que tu es arrivé à lire jusqu'ici.

Et à Pino, qui m'a fait voir Ali-Frazier, m'a toujours battue aux cartes et aux échecs, parce qu'il a ri et souri, fait preuve de joie et d'allégresse, de courage et d'honneur. Et surtout pour avoir été qui il était. Mon papa.

Merci, mon clan, pour tout votre amour.

Cet ouvrage a été composé
PCA - 44400 REZÉ

Cet ouvrage a été imprimé
en Espagne par

Industria Grafica Cayfosa
(Impresa Iberica)

Dépôt légal : septembre 2015

Pocket Jeunesse, une marque d'Univers Poche,
est un éditeur qui s'engage pour
la préservation de son environnement
et qui utilise du papier fabriqué à partir
de bois provenant de forêts gérées
de manière responsable.

12, avenue d'Italie - 75627 PARIS Cedex 13